LE NOUVEAU SANS FRONTIÈRES

MÉTHODE DE FRANÇAIS

LE LIVRE
DU
PROFESSEUR

JACKY GIRARDET

 CLE INTERNATIONAL

27, rue de la Glacière. 75013 Paris.
Vente aux enseignants : 16, rue Monsieur le Prince. 75006 Paris.

© Éditions Fernand Nathan 1988. ISBN 2.19.033456.8
Nº d'éditeur 10026535 - (X) - (42) - (OSBT 80º) Imprimé en France, Février 1995 par Mame Imprimeurs à Tours (nº 33987)

SURVOL DE LA MÉTHODE

LE NOUVEAU SANS FRONTIÈRES 1 est une méthode pour l'apprentissage du français destinée aux adolescents et aux adultes débutants. Cette méthode comprend :

Un livre de l'élève contenant 20 leçons regroupées en 4 unités. (Dans la notation que nous utiliserons, les chiffres romains renvoient aux unités, les chiffres arabes renvoient aux leçons. Ainsi, I 1 indique la première leçon de la première unité, II 5, la cinquième leçon de la deuxième unité.)

● Chaque leçon est construite sur le même schéma en trois parties :

1) des dialogues et documents. Il s'agit d'une succession de petits dialogues et de documents écrits qui présentent diverses situations de communication et mettent en scène les acquisitions lexicales, grammaticales, communicatives, civilisationnelles et phonétiques de la méthode. Ces dialogues et documents (que nous noterons D) occupent les deux premières pages de chaque leçon. Ils reflètent les progressions d'acquisitions mais ils sont également liés (à l'intérieur d'une unité) par une trame narrative. Ils s'enchaînent, se répondent pour raconter une histoire qui se déroule sur une unité. Les pages dialogues et documents ont donc pour objectifs une *présentation vivante et authentique de la langue.*

2) les deux pages vocabulaire et grammaire donnent, au contraire, une *vision didactique* de la langue. Les acquisitions introduites dans les dialogues y sont reprises, explicitées, élargies sous forme de listes de vocabulaire et d'expressions, organisées soit autour d'un thème, soit autour d'un acte de parole. On y trouvera également des tableaux de conjugaisons et de conceptualisation grammaticale. Nous ferons référence à cette partie de la leçon par V.

On remarquera que ces pages vocabulaire et grammaire s'organisent selon une succession d'objectifs très limités qui bouleverse quelque peu les catégories traditionnelles de vocabulaire et de grammaire. Telle conjugaison de verbe apparaît dans une liste lexicale. Inversement, un répertoire lexical est donné dans une rubrique dont l'entrée est nettement grammaticale. On a voulu par là rendre plus fonctionnels et opératoires la compréhension du système de la langue et la mémorisation des éléments lexicaux et grammaticaux. Grammaire et vocabulaire sont donc présentés selon une visée limitée (on ne traite que de micro-objectifs) et active (une règle grammaticale est accompagnée de quelques éléments qui permettent de la faire fonctionner).

À la fin de l'ouvrage, un index grammatical reprend la totalité des micro-objectifs étudiés au cours des leçons, selon des regroupements plus larges. Il permettra à l'étudiant qui le désire d'appréhender les macro-systèmes dans lesquels s'inscrivent les éléments qu'il étudie.

3) les quatre pages d'activités constituent la partie proprement active et productive de la leçon. On y trouvera une grande quantité d'exercices qui mettent en œuvre des stratégies d'apprentissage variées (répétition phonétique - exercices structuraux - activités d'analyse, de repérage, de classement - activités mettant en jeu la créativité, etc.). En choisissant ces activités, on a veillé :

— à équilibrer les exercices de renforcement visant à la mémorisation du lexique et des structures morphologiques et syntaxiques et les activités plus proprement communicatives ;

— à ne négliger aucune des quatre compétences (compréhension orale - expression orale - compréhension écrite - expression écrite).

● À la fin de chaque unité, on trouvera :

— *4 pages de bilan-tests* où l'on propose un exercice de contrôle pour chacun des objectifs poursuivis ;

— *2 pages de textes et d'iconographie* qui permettront de compléter les connaissances de civilisation (géographie - tourisme - économie, etc.) acquises dans l'unité.

● À la fin de l'ouvrage, on trouvera :

— *un index grammatical* qui regroupe selon des ensembles notionnels la totalité des points de grammaire traités dans les leçons ;

— *un lexique* qui contient la totalité des mots introduits dans les dialogues, les documents et dans les pages vocabulaire et grammaire.

Pour aider l'étudiant et l'enseignant, pour mieux structurer la progression et l'apprentissage, chaque leçon a été divisée en *trois séquences : A, B, C.* Ces séquences sont clairement indiquées dans la partie « dialogue et documents » ainsi que dans la partie « activités ». On ne les retrouvera pas dans la partie « vocabulaire et grammaire » qui opère quelquefois des regroupements de notions introduites dans les trois séquences d'une leçon. Mais d'une manière générale, la partie « vocabulaire et grammaire » suit le déroulement des acquisitions présentées dans « dialogue et documents ».

Bien entendu, la séquence A de la partie « activités », correspond au dialogue (ou au document) A, etc.

4 cassettes. Elles contiennent :
— l'enregistrement des moments dialogués des parties « dialogues et documents » ;
— les exercices d'écoute (1 par leçon) ;
— les exercices de phonétique (1 pour chacune des étapes A, B, C de chaque leçon) ;
— les exercices structuraux (1 ou 2 pour chacune des étapes A, B, C de chaque leçon).

Un cahier d'exercices. Il propose, en complément aux activités du livre de l'élève et selon une progression identique :
— de nombreux exercices de renforcement (vocabulaire - orthographe - grammaire) ;
— des activités de compréhension écrite, d'expression écrite et d'expression orale ;
— des jeux de langage, des poèmes et des chansons.

NOS OBJECTIFS

Motiver les étudiants

● **En donnant à lire et à écouter (dans la partie dialogues et documents) de réelles histoires** comportant une intrigue, des éléments de suspense et des personnages psychologiquement typés. Ces histoires ne sont pas racontées in extenso mais plutôt évoquées grâce à une succession d'indices (courtes scènes dialoguées - articles de presse - documents divers). Par ailleurs, elles comportent de nombreuses ellipses que l'étudiant pourra combler en créant lui-même des dialogues, des récits ou des documents.

Enfin, ces intrigues mettent en jeu des ressorts universels de motivation : l'amour et l'amitié, le comique de caractère et de situation, le suspense policier, l'argent, l'opposition entre faibles et forts, etc.

● **En suscitant l'intérêt pour la connaissance** de sorte que grâce à la langue qu'il est en train d'apprendre, l'étudiant découvre des choses nouvelles dans des domaines aussi variés que possible : connaissance des mécanismes et de l'originalité de la langue cible (facilitée par les tableaux de vocabulaire et de grammaire), connaissance de la France (dans ses aspects géographique, historique, littéraire, artistique, etc.), mais aussi connaissance de détails insolites ou pittoresques (ainsi apprendra-t-on, en étudiant les comparatifs, que les Anglais boivent en moyenne 2 000 tasses de thé par an alors que les Français se contentent de 80 tasses... ou bien au hasard d'une leçon de vocabulaire sur le thème de la maladie, on découvrira quelques personnages célèbres de l'histoire de la France (voir p. 141).

● **En variant les activités d'apprentissage.** Les meilleurs plats finissent par paraître fades s'ils nous sont sans cesse resservis. Il en va de même, croyons-nous, des activités d'apprentissage. Le Nouveau Sans Frontières propose près de 500 exercices aussi nombreux et aussi variés que possible.

Faciliter l'apprentissage

● **En définissant des objectifs limités (micro-objectifs)** et en les indiquant clairement à l'étudiant dans les pages vocabulaire et grammaire. Ces objectifs sont définis en termes de *moyens linguistiques* (thème lexical - catégorie des grammaires traditionnelles ou notionnelles) ou en termes d'*actes de parole*.

● **En concevant une progression lexicale et grammaticale rigoureuse.** On introduit en moyenne 60 unités lexicales par leçon et la plupart des exercices peuvent être faits en mobilisant des éléments lexicaux et grammaticaux déjà vus.

La progression par micro-objectifs est par ailleurs redondante : par exemple, la caractérisation des personnes sera vue en I 5, III 1, III 2, III 5 ; l'expression de l'habitude et de la répétition de l'action en III 1, III 3, III 4.

● **En favorisant la mémorisation du lexique et des conjugaisons, en encourageant la réflexion sur le fonctionnement de la langue** (dans les pages vocabulaire et grammaire et dans les index en fin d'ouvrage).

● **En mettant en jeu différentes procédures d'apprentissage** : activités de répétition et de substitution, activités d'analyse et de conceptualisation, exercices de repérage, exercices de production en situation simulée, activités créatives.

● **En graduant la difficulté des exercices à l'intérieur de chaque séquence A, B et C.** On verra que chacune de ces étapes commence par un exercice de phonétique, un exercice structural et un exercice de réemploi du vocabulaire et se prolonge par des activités d'expression écrites et orales de plus en plus libres.

ORGANISATION D'UNE LEÇON ET PROPOSITIONS D'ANIMATION

 DIALOGUE ET DOCUMENTS (D)

● Nous conseillons vivement aux enseignants de travailler cette partie en trois temps selon le découpage A, B et C, en faisant chaque fois les exercices correspondants.

● L'écoute d'un dialogue ou la lecture d'un document peut être précédée d'une ou plusieurs *étapes préparatoires* :

— analyse et commentaire de l'image à partir de laquelle on peut faire des hypothèses sur la situation de communication, donner des informations culturelles, introduire du lexique ;

— préparation lexicale et grammaticale. L'enseignant introduit les mots nouveaux, fait travailler les étudiants sur la rubrique correspondante des pages V, explique le point de grammaire présenté dans le dialogue ;

— en s'aidant de l'image et du texte narratif qui précède le dialogue, on peut également faire imaginer la conversation des personnages.

● **La découverte d'un document écrit** pourra se faire de la manière suivante :

— reconnaître le type de document (article de presse, message, lettre, formulaire, etc.) ;

— lecture et compréhension du titre (s'il s'agit d'un article), du destinateur et du destinataire (s'il s'agit d'une lettre) ;

— lecture globale du texte, repérage des mots inconnus, formulation d'hypothèses sur le sens à partir des éléments connus ;

— lecture dirigée phrase par phrase en expliquant les éléments inconnus.

● **La découverte d'un dialogue** peut se faire bien sûr à partir de sa transcription écrite, selon la même démarche que celle qui vient d'être décrite, mais il est impératif (si l'on veut développer une compétence de compréhension orale) de mettre le plus souvent possible les étudiants en contact avec l'aspect sonore du langage sans le recours au support écrit.

Nous suggérons la démarche suivante :

— une ou deux écoutes de l'enregistrement sur cassette ;

— repérages de tous les éléments identifiables : bruitage - voix des locuteurs - éléments linguistiques connus - confrontation de ces informations avec celles que peut apporter l'image.

— formulation d'hypothèses sur le sens du dialogue pouvant déboucher sur un jeu dramatique ;

— travail d'écoute par petites unités, décomposition de la chaîne sonore, explication des éléments nouveaux, observation de la forme écrite de ces éléments.

● Le travail sur la partie dialogue et documents vise essentiellement la compréhension. Chacun des textes comporte, en effet, un (ou plusieurs) objectif(s) précis (lexical, grammatical, communicatif). Il pourra donc être traité :

— soit comme le point de départ d'une réflexion grammaticale, lexicale, etc. ;

— soit comme l'illustration d'une explication grammaticale ou d'un apport lexical préalablement donné.

● Signalons enfin que ces pages comportent quelquefois des images non accompagnées de dialogue. Elles prennent en charge un moment de l'histoire que les étudiants pourront raconter ou jouer.

VOCABULAIRE ET GRAMMAIRE (V)

Ces deux pages se présentent comme une succession de courtes rubriques portant chacune un titre. Chaque rubrique décrit le contenu d'un micro-objectif.

Les titres de ces rubriques peuvent être classés selon quatre catégories :
— thématiques (les professions, le logement, la mer, la politique, etc.) ;
— grammaticales traditionnelles (les articles, le pronom complément, etc.) ;
— grammaticales notionnelles (localiser, situer dans le temps, etc.) ;
— fonctionnelles (pour saluer, féliciter, interdire, etc.).

L'ordre de présentation de ces éléments suit généralement leur apparition dans la partie dialogue et documents.

La conjugaison d'un verbe peut être donnée dans n'importe quelle rubrique. On notera que les tableaux de conjugaison se simplifient au fur et à mesure que l'étudiant acquiert le système de la morphologie des verbes.

Les présentations grammaticales utilisent une terminologie métalinguistique extrêmement réduite. En effet, l'objectif n'est pas d'apprendre une grammaire (c'est-à-dire d'apprendre à nommer les composantes de la description d'une langue), mais plutôt de comprendre un fonctionnement, d'avoir la possibilité de faire des comparaisons avec sa langue maternelle, de s'approprier progressivement quelques mécanismes et règles simples. Il reste que ces quelques termes du vocabulaire grammatical devront être expliqués ou tout simplement traduits.

Ces pages vocabulaire et grammaire sont donc des outils de conceptualisation et de classement des connaissances, des instruments de mémorisation et des réservoirs de moyens linguistiques.

Comment présenter et animer ces pages vocabulaire et grammaire ?

a) Rubriques thématiques et fonctionnelles
● Organiser une conversation dirigée sous forme de questions/réponses qui intègre progressivement chacun des éléments de la liste.
● Faire relever les mots « transparents » (semblables à ceux de la langue maternelle) et les mots dont on peut induire le sens par dérivation. Repérer les « faux amis », les variations de sens ou d'emploi.
● Faire une recherche collective du sens des mots dans le dictionnaire, le groupe classe se partageant le travail. Mise en commun dirigée des résultats des recherches.
● Proposer la liste comme un inventaire de mots et d'expressions à utiliser pour préparer un jeu de rôles ou un texte. Les étudiants entreprennent alors une recherche active du sens des mots en fonction de leurs besoins.

b) Rubriques grammaticales
● Observation des énoncés grammaticalement intéressants dans les dialogues et les documents.
● Réflexion collective sur ces énoncés. Formulation d'hypothèses sur les règles de fonctionnement.
● Observation des tableaux de grammaire. Vérification des hypothèses et affinement des règles.
● Renvoi à des points de grammaire étudiés antérieurement qui permettront une compréhension plus large du système. (Par exemple, lorsqu'on étudie les pronoms objets antéposés en III 5, revoir les tableaux présentés en II 2 et en III 1.)
● Renvoi à l'index grammatical en fin d'ouvrage.
● Production d'exemples.

ACTIVITÉS

Rappelons que cette partie de la leçon est divisée en trois séquences A, B, C, correspondant aux séquences A, B, C de la partie dialogues et documents. Chacune de ces séquences commence toujours par un travail de phonétique et un exercice structural. Les exercices qui suivent sont précédés d'un logo qui en précise le type (exercice écrit - exercice oral - exercice de compréhension orale - exercice de compréhension écrite ou d'observation de documents). Mais il est évident que certains exercices écrits peuvent aussi se faire à l'oral et qu'inversement, un exercice oral peut être préparé à l'écrit ou déboucher sur une production écrite. Nous examinerons successivement chaque type d'exercice.

PHONÉTIQUE ET MÉCANISMES

a) Phonétique

Les trois phrases données dans le livre de l'élève sont les trois premières phrases de l'exercice enregistré sur la cassette (en général six phrases). L'intégralité de l'exercice sera donnée dans ce livre du professeur (L. P.).

On trouvera des exercices :

● *sur la discrimination et la production correcte des phonèmes.* Les phrases proposées suivent une progression où le phonème apparaît dans des environnements sonores et avec des intonations de moins en moins favorables à leur production. Les phonèmes sont, par ailleurs, travaillés en opposition ;

● *sur l'intonation ;*

● *sur l'enchaînement vocalique et consonantique (liaisons).*

L'animation de ces exercices pourra se faire de la manière suivante :

— écoute d'un exemple ;

— répétition individuelle et correction ;

— repérage du phonème étudié. Recherche collective de mots contenant le même phonème ;

— observation des graphies du phonème. Remarques orthographiques ([o] peut se réaliser graphiquement par « o », « au », « eau », etc.) ;

— découpage de la chaîne sonore.

Notons que ces exercices ne sont pas limitatifs. Les phrases des dialogues doivent aussi donner lieu à un travail de phonétique, notamment pour l'intonation. L'enseignant peut, par ailleurs, prévoir des exercices complémentaires en fonction des difficultés spécifiques rencontrées par ses propres étudiants.

b) Mécanismes

Nous proposons chaque fois un ou deux exercices structuraux. Ce sont, pour la plupart, des exercices sous forme de questions/réponses, mais on trouvera également quelques exercices de substitution ou de transformation.

Les phrases données dans le livre de l'élève correspondent au(x) modèle(s) stimulus(i) proposé(s) au début de l'exercice enregistré sur cassette.

La transcription des exercices est donnée dans le L. P.

Ces exercices peuvent se faire :

— au laboratoire ;

— en classe, selon un dialogue magnétophone → étudiant (les étudiants produisent les phrases à voix basse et effectuent eux-mêmes leur contrôle) ;

— en classe, selon un dialogue enseignant → étudiant (l'enseignant donne le stimulus, les productions peuvent être alors collectives ou individuelles).

Nous tenons à souligner que les exercices qui suivent ces mécanismes ont été conçus en tenant compte de ce travail préalable. Croire qu'on peut en faire l'économie serait, à notre avis, sauter une étape indispensable pour certains apprenants.

 EXERCICES ÉCRITS

On trouvera sous ce logo :

● des exercices de réemploi ou de manipulation du vocabulaire et des structures ;

● des exercices d'exploitation de documents ;

● des mises en situation d'écriture plus ou moins libres soit à partir d'un modèle, soit à partir d'indications plus larges.

EXERCICES ORAUX

On trouvera :
● des micro-conversations proches des dialogues ;
● des jeux de rôles à partir des images muettes de la partie dialogue et documents, d'images de mise en situation, de documents écrits ou de consignes générales ;
● des propositions de conversations à partir de documents divers (photos ou document authentique écrit).

 ## *EXERCICES D'ÉCOUTE*

Il y en a un par leçon. Il s'agit d'un fragment de conversation enregistré sur la cassette (et transcrit dans ce L. P.) pour lequel on propose un travail d'analyse du sens. (Par exemple p. 63, trois personnes parlent de leur logement et on demande à l'étudiant de repérer par l'écoute certaines informations : type de logement, nombre de pièces, qualités et défauts, etc.)
L'idéal serait, bien sûr, de travailler ces documents au laboratoire de langue, l'étudiant pouvant alors se permettre de sélectionner et de réécouter à loisir les fragments qui lui paraissent difficiles.
À défaut de laboratoire, nous proposons la démarche suivante (que nous modulerons selon l'exercice) :
— écoute du document. Repérage des locuteurs, de la situation et du sujet de la conversation ;
— plusieurs écoutes sélectives, chacune ayant pour but de repérer une information particulière (travail individuel) ;
— mise en commun des résultats ;
— écoute phrase par phrase. Confrontation avec la transcription ;
— éventuellement, dictée d'un fragment.

 ## *EXERCICES SUR DOCUMENTS ET TEXTES*

Ces documents (photos, dessins ou textes) ont pour but :
● de provoquer une demande d'information en civilisation (géographie, histoire politique, histoire de l'Art, etc.) ;
● de susciter des échanges langagiers (apport d'information par les étudiants, comparaison avec d'autres réalités, expression d'opinions, etc.).
La consigne du livre de l'élève propose une piste d'exploitation très générale. Ce livre du professeur en suggérera d'autres. Mais il est certain que la conduite de cette activité sera surtout guidée par les réactions des étudiants.
Nous avons dit plus haut que l'accès à des connaissances extra-linguistiques nous paraissait un facteur essentiel de motivation pour l'apprentissage d'une langue. Pour le cas où l'enseignant se trouverait démuni devant certains documents, et pour lui éviter des recherches quelquefois difficiles, nous proposons, chaque fois que cela nous paraît nécessaire, de courtes notes d'information.

▓ *LES PAGES BILANS*

Chacun des quatre bilans (un par unité) est constitué de :
— quatre pages d'exercices écrits d'évaluation (un exercice pour chacun des micro-objectifs de l'unité) ;
— deux pages de documents et d'informations pour lesquels nous proposons des démarches d'exploitation.

LEÇON 1

OBJECTIFS

Vocabulaire	Grammaire
• les professions (voir p. 10) • les nationalités (voir p. 10) On ajoutera à ces listes les termes nécessaires à la présentation des étudiants ainsi que *acteur/actrice* et *chef d'orchestre* (pour l'exercice 2 p. 12) • *être - s'appeler - rencontrer* • *monsieur - madame - mademoiselle* • *oui - non* • *excusez-moi*	• *être* + adjectif de profession *être* + adjectif de nationalité • conjugaison de *être* et de *s'appeler* (*je/vous - il/elle*) • la notion de masculin et de féminin
Phonétique	Communication
•la voyelle nasale [ɑ̃] opposé à [a]	• se présenter - présenter quelqu'un — dire son nom, nommer quelqu'un — dire la profession et la nationalité • s'excuser

Civilisation

• Mise en commun des connaissances du groupe classe sur la France (en langue maternelle)
• Paris : l'avenue des Champs-Élysées, l'Arc de Triomphe.

PRISE DE CONTACT

Cette première séance (ou leçon zéro) comportera :
— une discussion menée en langue maternelle et qui aura pour objectifs :
   • de mettre en commun ce que les étudiants savent de la France, des Français et du français ;
   • de connaître les motifs qui les amènent à faire du français ;
   • de présenter et de justifier la méthodologie qui sera mise en œuvre. On présentera le livre, les étapes d'une leçon et les types d'activités.
— la présentation des membres du groupe classe.

La plupart des acquisitions au programme de cette séquence peuvent être introduites lors de cette séance de présentation (notamment avec des classes d'adultes comportant plusieurs nationalités). On pourra procéder de la manière suivante :
- l'enseignant se présente ;
- les étudiants se présentent avec l'aide de l'enseignant qui écrit au tableau professions et nationalités ;
- on confronte ce vocabulaire avec celui de la page 10.

Avec un public scolaire, la présentation du vocabulaire des professions et des nationalités se fera grâce au dialogue A et au document B (constat d'accident).

▨ *DIALOGUE ET DOCUMENTS*

- Écoute de l'enregistrement et observation des parties A et B de la p. 8 (image A - constat d'accident - affiche de Nicolas Legrand). Cette observation doit permettre une approche progressive de la compréhension du dialogue.
    - Le lieu (Paris, avenue des Champs-Élysées) : d'après l'image et le plan de l'accident.
    - La situation (un accident) : écouter le bruitage, observer les débris de vitre sur le sol, identifier le constat d'accident.
    - Les personnages (Nicolas Legrand, Roland Brunot) : on peut les identifier d'après l'affiche et le constat.
    - Leur profession : d'après l'affiche et l'image (la guitare).

- Compréhension du dialogue : on formulera des hypothèses sur le sens global du dialogue. On vérifiera ensuite ces hypothèses par une explication phrase par phrase. On assurera la compréhension des éléments encore obscurs.
    - « *excusez-moi* » : jouer en classe quelques situations d'excuse et introduire « *oh ça va !* » comme réponse à la demande d'excuse qui minimise l'importance de la faute.
    - « *tiens !* » : expression de la surprise.
    - « *je connais* » : on se contentera d'une compréhension globale (ce terme sera repris en B).

L'avenue des Champs-Élysées. *La principale avenue de l'axe Est-Ouest de Paris. Elle part de la place de la Concorde et se prolonge jusqu'à l'Arc de Triomphe (situé au centre de la place de l'Étoile ou place Charles de Gaulle). Elle est bordée d'immeubles bâtis à la fin du XIXème siècle, de cafés, de restaurants et de commerces de luxe. Sur cette avenue, se déroulent les grands défilés militaires (notamment celui du 14 juillet).*

L'Arc de Triomphe. *Monument commandé par Napoléon Ier pour commémorer ses victoires. Il abrite la tombe du Soldat inconnu et une flamme y brûle en permanence.*

▨ *VOCABULAIRE ET GRAMMAIRE*

— Professions
- Présenter chaque mot de la liste en les illustrant par des noms de personnes connues des étudiants.
- Compléter la liste en fonction des besoins de la classe.
- On peut utiliser l'ex. 1 p. 12 comme exercice d'apprentissage.
- Classer les noms des professions en fonction de leur forme au féminin.

— Nationalités
- Présenter les pays (utiliser une carte du monde).
- Présenter les nationalités. Découvrir la nationalité de personnages connus.
- Compléter le tableau en fonction des besoins.
- Faire les remarques nécessaires sur l'opposition masculin/féminin.

— Masculin ou féminin
Cette rubrique permettra :
- de conceptualiser l'opposition masculin/féminin. On fera remarquer la terminaison *e*, mais aussi dans certains cas une terminaison plus complexe (chanteur / chanteuse) et l'absence de marque (médecin / médecin) ;
- de présenter la conjugaison des verbes *être* et *s'appeler*.

░ *ACTIVITÉS*

Phonétique et Mécanismes

● On opposera [a] et [$\tilde{a}$] et on travaillera [$\tilde{a}$] d'abord dans un environnement de consonnes nasales [m], [n].

● Manipulation des verbes *s'appeler* et *être* à la 1re et 3e personne du singulier.

Transcription

Phonétique
Répétez !
Elle s'appelle Sylvie Roman (...)   Elle est étudiante (...)
Il s'appelle Roland (...)   Nicolas rencontre Roland (...)
Nicolas est chanteur (...)   Roland Brunot est français (...)

Mécanismes
Exercice 1   Exercice 2
Écoutez !   *Écoutez !*
Anna. Secrétaire → Je m'appelle Anna.   Anna. Secrétaire → Elle s'appelle Anna.
                     Je suis secrétaire.   Elle est secrétaire.
Nicolas. Chanteur → Je m'appelle Nicolas. Nicolas. Chanteur → Il s'appelle Nicolas.
                     Je suis chanteur.   Il est chanteur.

À vous !   *À vous !*
Anna. Secrétaire   (...) Je m'appelle Anna.   Anna. Secrétaire   (...) Elle s'appelle Anna.
                            Je suis secrétaire.   Elle est secrétaire.
Nicolas. Chanteur   (...) Je m'appelle Nicolas.   Valérie. Journaliste   (...) Elle s'appelle Valérie.
                            Je suis chanteur.   Elle est journaliste.
Sabine. Médecin   (...) Je m'appelle Sabine.   Roland. Musicien   (...) Il s'appelle Roland.
                            Je suis médecin.   Il est musicien.
André. Architecte   (...) Je m'appelle André.   Pierre. Étudiant   (...) Il s'appelle Pierre.
                            Je suis architecte.   Il est étudiant.
Sandrine. Professeur   (...) Je m'appelle Sandrine.   Mireille. Chanteuse   (...) Elle s'appelle Mireille.
                            Je suis professeur.   Elle est chanteuse.

Exercices

EX. 1, P. 12
Peut être utilisé comme activité d'apprentissage (présentation du vocabulaire des professions) ou comme un exercice de réemploi.

1. Il est médecin
2. Elle est architecte
3. Il est musicien
4. Elle est journaliste / chanteuse
5. Il est mécanicien
6. Elle est écrivain
7. Il est journaliste / secrétaire
8. Elle est secrétaire / dactylo.

EX. 2, P. 12
Travail individuel (ou par groupe). La mise en commun orale devra permettre de produire :
« Il / elle s'appelle...   Il / elle est + profession.   Il / elle est + nationalité ».

1. Catherine Deneuve, actrice, française.
2. David Bowie, acteur et chanteur, anglais.
3. Mireille Mathieu, chanteuse, française.
4. Herbert Von Karajan, musicien et chef d'orchestre, allemand.

EX. 3, P. 12
Un étudiant s'identifie à un personnage. Trois situations possibles :
● il se présente ;
● on lui pose des questions (« Comment vous appelez-vous ? ... ») ;
● on le présente.
Jeu des cartes de visite. Sur de petits cartons, écrire nom, prénom, nationalité et profession d'une personne imaginaire (les étudiants peuvent réaliser eux-mêmes ces cartes de visite). Rassembler les cartons et organiser des jeux de rôles à trois personnages (le visiteur, la secrétaire, le directeur). Le visiteur tire une carte de visite, se présente à la secrétaire qui le présente ensuite au directeur.

OBJECTIFS

Vocabulaire	Grammaire

• l'identité : nom et prénom
• l'adresse (voir p. 11)
• les nombres de 1 à 10
• *chanter - habiter - connaître - épeler*
	• mêmes structures qu'en A
	• *habiter* + nom de rue
	  habiter à + nom de ville
	  habiter en / au + nom de pays

Prononciation	*Communication*
• intonation de l'interrogation simple	• se présenter par écrit (dans un questionnaire) • épeler un mot • donner une adresse

Civilisation

• Quelques lieux de Paris : l'Olympia (doc. A), la tour Eiffel, Montmartre,
le Centre Georges Pompidou (ex. 5).

DIALOGUE ET DOCUMENTS

Ces documents auront été en partie analysés dans la séquence A. Il s'agira donc seulement d'en compléter la compréhension.

L'affiche de Nicolas Legrand. Le verbe *chanter* ne devrait pas poser de problèmes de compréhension. On identifiera la dernière ligne (date et heure) mais les noms des jours et des mois ne seront vus qu'en I 2.

L'Olympia est un célèbre music-hall parisien. Chanter à l'Olympia constitue une sorte de consécration dans la carrière d'un artiste.

Le constat d'accident. Identifier le document. Assurer la compréhension des mots *nom, prénom, adresse*. Il est bien sûr inutile d'essayer d'expliquer dans le détail ce document authentique, mais s'il existe une certaine transparence entre le français et la langue de l'apprenant (espagnol, italien, anglais), on pourra parvenir à une compréhension globale des rubriques.

VOCABULAIRE ET GRAMMAIRE

Épeler

• Compréhension de la situation : un officier de police (ou de douane) demande l'identité de Roland Brunot. Celui-ci éprouve le besoin d'épeler son nom, les réalisations graphiques de ce nom pouvant varier (Brunot, Bruneau, Brunaud, etc.).

• Présenter et faire prononcer l'alphabet.

Les nombres

On profitera de cette présentation pour faire remarquer les « bizarreries » de certaines formes écrites du français. L'orthographe obéit en partie à des règles (notamment les règles d'accord), mais les étudiants ne doivent pas s'étonner si l'orthographe dite « d'usage » leur paraît parfois incohérente. C'est qu'elle n'a pas évolué au cours des siècles en même temps que la forme sonore des mots. Par ailleurs, elle garde souvent la trace d'une lointaine étymologie. Ainsi le *p* de *sept* (que l'on ne prononce pas) vient du latin *septem*.

L'adresse

• Observer le plan et présenter le vocabulaire. (On considérera *avenue* et *boulevard* comme des synonymes.)

● Pratiquer le verbe *habiter* (questions/réponses en situation de classe) et observer le fonctionnement du verbe (conjugaison et emploi des prépositions). On fera découvrir notamment les règles d'emploi des prépositions :

— nom de rue : pas de préposition ;
— nom de ville : préposition *à* (que l'on peut supprimer) ;
— nom de pays : *en* (nom fém.), *au* (nom masc.), *aux* (nom pluriel).

● Le verbe *connaître* sera pratiqué dans l'ex. 5.

ACTIVITÉS

Phonétique et Mécanismes

● Opposer l'intonation de la phrase énonciative et celle de l'interrogation simple. On pourra figurer la courbe intonative au tableau.
● Exercice de renforcement portant sur l'adresse.

Transcription

Phonétique
Répétez !
Vous êtes étudiant ? (...)   Il est Italien ? (...)
Tu es Français ? (...)   Nicolas habite en Italie ? (...)
Elle habite à Paris ? (...)   Vous connaissez l'Espagne ? (...)

Mécanismes
Exercice 1
Écoutez !
Vous habitez à Paris ?   →   Oui, j'habite à Paris.
Elle habite rue Lepic ?   →   Oui, elle habite rue Lepic.

À vous !
Vous habitez à Paris ?   (...) Oui, j'habite à Paris.
Roland habite en France ?   (...) Oui, il habite en France.
Il habite rue Lepic ?   (...) Oui, il habite rue Lepic.
Elle habite au Japon ?   (...) Oui, elle habite au Japon.
Carmen habite au Mexique ?   (...) Oui, elle habite au Mexique.

Exercice 2
Écoutez !
Vous habitez à Paris ? - Non, à Marseille.   →   Non, j'habite à Marseille.
Il habite rue Lepic ? - Non, boulevard Saint-Michel. →   Non, il habite boulevard Saint-Michel.

À vous !
Vous habitez à Paris ? - Non, à Marseille.   (...) Non, j'habite à Marseille.
Roland habite en Espagne ? - Non, en France.   (...) Non, il habite en France.
Carmen habite en Italie ? - Non, au Mexique.   (...) Non, elle habite au Mexique.
Nicolas habite rue Lepic ? -
   Non, boulevard Saint-Michel   (...) Non, il habite boulevard Saint-Michel.
Marie habite au Japon ? - Non, aux États-Unis.   (...) Non, elle habite aux États-Unis.

Exercices

EX. 4, P. 13
Identifier les documents (cartes de visite) avant de faire l'exercice par écrit.

1. Elle s'appelle Marie Camarat.
   Elle est infirmière.
   Elle habite à Paris, 7 avenue Bosquet.

2. Il s'appelle Henri-Alexandre Fabre.
   Il est médecin.
   Il habite à Aix-en-Provence, 2 boulevard de Toulon.

Apport d'information
● L'existence de prénoms composés (Henri-Alexandre, Jean-Pierre, etc.).

● Le code postal : les deux premiers chiffres représentent le département, les trois suivants correspondent à la ville ou au village.

● Pour les grandes villes, le dernier ou les deux derniers chiffres indiquent l'arrondissement : 75005 : Nicolas Legrand habite dans le cinquième ; 75018 : Roland Brunot dans le dix-huitième.

EX. 5, P. 13

Faire retrouver la légende qui correspond à chaque image (de haut en bas et de gauche à droite : le Centre Georges Pompidou - la tour Eiffel - la basilique du Sacré-Cœur à Montmartre - l'Arc de Triomphe). Commenter les images.

Montmartre : *colline au Nord de Paris d'où l'on domine toute la ville. Quartier pittoresque qui conserva son aspect campagnard jusqu'au début du XXe siècle (vignes, moulins). Ce lieu inspira beaucoup de peintres. C'est un lieu très touristique (restaurants, cabarets). Au sommet de la butte Montmartre se dresse la basilique du Sacré-Cœur.*

La tour Eiffel. *Construction métallique de 320 mètres de hauteur, élevée par l'ingénieur Eiffel en 1889 (à l'occasion d'une exposition universelle). Elle symbolise l'essor industriel et technologique de la fin du XIXe siècle.*

Le Centre Georges Pompidou : *musée d'art moderne, médiathèque (on peut y consulter facilement plus de 300 000 ouvrages, des films, des diapositives), centre de recherche et de création artistique.*
L'architecture de ce bâtiment construit en 1977 a été très controversée. En effet, tous les éléments habituellement cachés de l'architecture (charpentes, escalators, ascenseurs, tuyaux de ventilation et de chauffage, conduites d'eau et de gaz, etc.) sont mis en valeur à l'extérieur du bâtiment.
Le grand espace que l'on voit devant le centre est un lieu d'animations (musiciens, mimes, caricaturistes, cracheurs de feu et prestidigitateurs).

OBJECTIFS

Vocabulaire	Grammaire
● les salutations (voir p. 11) ● *un(e) ami(e) - un quartier* *c'est formidable !* *moi / toi* *bon voyage* (ex. 7)	● conjugaison : *tu / vous*.
Phonétique	Communication
● intonation de l'interrogation (phrases commençant par *comment*)	● saluer - prendre congé ● remercier ● exprimer l'enthousiasme

Civilisation

● Le *tutoiement* et le *vouvoiement*. On ne cachera pas la difficulté de l'emploi du « tu » car il est sans doute préférable que l'étudiant débutant attende que son interlocuteur français lui propose le tutoiement.
À cette étape de l'apprentissage, on se contentera de présenter le tutoiement de l'adulte qui s'adresse à l'enfant, entre amis intimes ou membres d'une même famille (même dans ces cas précis, il n'est pas toujours de règle).

● On sera par ailleurs très prudent dans l'emploi de la formule « salut ! ». Elle ne peut être employée que par des personnes qui se tutoient déjà et qui sont très liées (par l'âge, la profession, etc.). Cette formule peut, en effet, souvent apparaître comme trop familière, voire inconvenante.

● Le quartier de la rue Mouffetard.

DIALOGUE ET DOCUMENTS

- Écoute de l'enregistrement et observation de l'image. Les étudiants doivent comprendre (grâce au bruitage), que la conversation entre les deux amies est brève parce que Valérie gêne la circulation et doit très vite redémarrer.
- Identifier les deux personnages en utilisant l'enregistrement (montrer sur l'image le personnage qui appelle). Préciser leur identité, leur profession, leur adresse (en utilisant les cartes de visite).
- Repérer et expliquer tous les termes de salutation.
- Faire remarquer, sur le plan de la p. 11, la proximité de la rue Mouffetard et de la plage Monge. Cette proximité explique l'enthousiasme de Valérie (*C'est formidable !*).

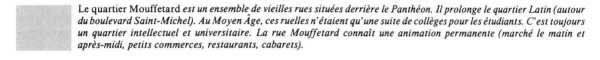

Le quartier Mouffetard est un ensemble de vieilles rues situées derrière le Panthéon. Il prolonge le quartier Latin (autour du boulevard Saint-Michel). Au Moyen Âge, ces ruelles n'étaient qu'une suite de collèges pour les étudiants. C'est toujours un quartier intellectuel et universitaire. La rue Mouffetard connaît une animation permanente (marché le matin et après-midi, petits commerces, restaurants, cabarets).

VOCABULAIRE ET GRAMMAIRE

Pour saluer
- Présenter les situations de salutation. Dans l'explication, on opposera :
  bonjour (qui peut s'employer jusqu'à une heure tardive de la journée) à *bonsoir* (qui ne s'emploie que le soir) — *bonjour* à *salut* (voir remarques ci-dessus) — « *comment ça va ?* » (plutôt familier) à « *comment allez-vous ?* ».

Interroger
  Tu ? ou vous ?

ACTIVITÉS

Phonétique et Mécanismes

- Opposer les courbes intonatives de la question.
- Systématisation du verbe *connaître*.

Transcription		
	Phonétique	**À vous !**
	Répétez !	Vous connaissez Monsieur Brunot ? / la France
	Comment ça va ? (...)	(...)
	Comment va Roland ? (...)	Vous connaissez la France ? / elle
	Comment allez-vous ? (...)	(...)
	Bonjour Valérie ! Comment ça va ? (...)	Elle connaît la France ? / New York
	Bonjour Monsieur Legrand ! Comment allez-vous ? (...)	(...)
	Comment vous vous appelez ? (...)	Elle connaît New York ? / il
		(...)
	Mécanismes	Il connaît New York ? / la rue Mouffetard
	Écoutez !	(...)
	Vous connaissez Monsieur Brunot ? / La France	Il connaît la rue Mouffetard ? / Sylvie
	Vous connaissez la France ? / Elle	(...)
	Elle connaît la France ?	Sylvie connaît la rue Mouffetard ? / la place Monge
		(...)
		Sylvie connaît la plage Monge ? / vous
		(...)
		Vous connaissez la place Monge ? / l'avenue des Champs-Élysées
		(...)
		Vous connaissez l'avenue des Champs-Élysées ?

Exercices

EX. 6, P. 14

Simple réemploi

  1. Bonjour madame, mademoiselle, monsieur.
  2. Bonsoir madame, mademoiselle, monsieur.

EX. 7, P. 14

Exercice d'écoute à faire avec la cassette.
Écoutez chaque micro-dialogue. Repérer l'image qui correspond (en vous aidant, éventuellement, du dialogue écrit).
A (3) - B (1) - C (2).
Jouez les scènes.

EX. 8, P. 14

Tu es anglaise ? — Non, je suis américaine.
Vous connaissez la place Monge ? — Oui, j'habite
à Paris, rue Mouffetard.
Il chante à l'Olympia, jeudi 2 avril. — Il s'appelle
Nicolas Legrand.

EX. 9, P. 15

Exercice de compréhension écrite qui peut déboucher sur une traduction.
Lecture silencieuse du texte suivie de questions de compréhension.

EX. 10, P. 15

Expression écrite libre (peut se faire en petits groupes).
Imaginer pour chaque personnage un nom, un prénom, une nationalité, une adresse, une profession ainsi que d'autres détails que les étudiants pourraient être capables d'exprimer (il chante au Covent Garden, il connaît la jeune fille indienne, etc.).

EX. 11, P. 15

Chaque image illustre une situation de présentation et constitue le cadre d'un jeu de rôles.
Les étudiants peuvent soit improviser les dialogues, soit les préparer (en groupes) avant de les interpréter.
  1. Deux jeunes (dont un étudiant) assistent à un concert de rock. Ils se présentent.
  2. Deux enfants engagent la conversation : « Comment tu t'appelles ?... ».
  3. Un directeur de société reçoit un visiteur qui lui tend sa carte.
  4. Un agent de police demande l'identité d'un automobiliste.

LEÇON 2

UNITÉ 1

OBJECTIFS

Vocabulaire	Grammaire
● *un appartement - un café - un artiste* *un homme - une femme - un garçon - une fille -* *un enfant* *danseur/danseuse* (pour l'ex. 3) On pourra aussi introduire *chercheur* ou *biologiste* pour qualifier Pasteur (ex. 1) ● *bien/mal - très* ● *vouloir (je voudrais) - comprendre*	● *qui est-ce ? ... c'est ...* ● articles indéfinis et définis ● la notion de défini ● structure : je voudrais + nom je voudrais + verbe
Phonétique	Communication
● le son [ã] opposé à [õ]	● identifier une personne ● exprimer un souhait

Civilisation
● Psychologie des personnages : le jeu entre les deux jeunes filles. Le caractère ambitieux de Valérie se fait jour dans son désir de rencontrer un artiste célèbre. Sylvie apparaît plus mesurée et modeste.   ● Les personnages de l'ex. 1 p. 20 : Yves Montand - Victor Hugo - Edith Piaf - Pasteur.

DIALOGUE ET DOCUMENTS

Avant d'aborder le dialogue proprement dit, introduire la question *qui est-ce ?* et la réponse *c'est + nom de personne*.
- Interroger les étudiants sur l'identité des personnages de la leçon I 1.
- Utiliser l'ex. 1 p. 20 comme activité d'apprentissage.
● Observation de l'image et écoute du dialogue.
Repérer le lieu (l'appartement de Sylvie) et les personnages. Déterminer le sujet de la conversation matérialisé sur l'image par le portrait de Nicolas.
● Expliquer les mots nouveaux :
— *comprendre* : doit faire partie du vocabulaire courant de la classe ;
— *bien* (opposé à *mal*) : il chante bien/mal - elle comprend bien/mal, etc. ;
— *très* : à présenter comme un intensif (il chante très bien) ;
— *je voudrais* : on pourra utiliser les dessins de la p. 18 et présenter les deux fonctions de ce verbe (expression de la demande et expression d'un souhait).
● Compréhension du dialogue. L'intonation doit permettre de sentir les nuances de la psychologie des personnages. On vérifiera cette compréhension en faisant jouer le dialogue.

▮ VOCABULAIRE ET GRAMMAIRE

Il s'agit de présenter les articles définis et indéfinis et d'approcher la conceptualisation de leur opposition.
— Faire relever dans le dialogue tous les « petits mots » qui sont devant les noms.
— Présenter le tableau des articles (p. 18). Montrer la distribution singulier/pluriel et masculin/féminin.
— Justifier (en langue maternelle) pour chacun des exemples relevés le choix entre défini et indéfini :
*l'*appartement de Sylvie : il s'agit d'un appartement précis ;
un ami : Sylvie a plusieurs amis. Nicolas est un ami parmi d'autres (il n'occupe pas une place privilégiée) ;
le chanteur : pour Valérie, Nicolas est un chanteur particulier. Sa notoriété le place au-dessus des autres ;
un artiste : Nicolas est placé dans une catégorie.
Notons que : *Nicolas est artiste* ou *il est artiste* indiquent la profession alors que *Nicolas est un artiste* ou *c'est un artiste* expriment un classement en catégorie. Attention, ces différents énoncés peuvent amener les élèves à produire la structure : « il est un artiste » qui est un énoncé fautif (cas analogue au féminin).
L'approche de l'opposition indéfini/défini se poursuivra en B.

▮ ACTIVITÉS

Phonétique et Mécanismes

● Opposition [ɔ̃] - [ɑ̃]
● Exercice de substitution. Présenter le vocabulaire (*livre - stylo - disque - parler*).

Transcription	*Phonétique* *Répétez !* Valérie habite plage Monge (...) Roland rencontre Nicolas Legrand (...) Sylvie comprend l'anglais (...) Bonsoir Monsieur Legrand ! (...) C'est l'appartement de Léon ? (...) Vous connaissez le nom de ce garçon ? (...) *Mécanismes* *Écoutez !* Je voudrais un livre / un stylo Je voudrais un stylo. *À vous !* Je voudrais un livre / un stylo (...)	Je voudrais un stylo / le stylo de Marie (...) Je voudrais le stylo de Marie / un disque (...) Je voudrais un disque / le disque de Nicolas Legrand (...) Je voudrais le disque de Nicolas Legrand / parler (...) Je voudrais parler / chanter (...) Je voudrais chanter / connaître Valérie (...) Je voudrais connaître Valérie / rencontrer Roland Brunot (...) Je voudrais rencontrer Roland Brunot.

Exercices

EX. 1, P. 20
Mise en commun des connaissances du groupe classe pour la production d'énoncés du type « C'est Yves Montand, c'est un chanteur français, un acteur ... ».
De gauche à droite :
Yves Montand : comédien et chanteur né en 1921. Il a joué dans de nombreux films. Il est politiquement engagé.
Victor Hugo (1802-1885) : poète, romancier, dramaturge, pamphlétaire dont les étudiants pourront sans doute citer quelques titres. Son œuvre est considérable (p. 45 on présentera les personnages d'un de ses plus grands romans, *Notre-Dame de Paris*).
Edith Piaf (1915-1963) : sans doute la plus grande figure de l'histoire de la chanson française. Quelques-uns de ses titres (*la Vie en rose, Milord, Non, rien de rien,* ...) sont très populaires.
Louis Pasteur (1822-1895) : chercheur, chimiste et biologiste. Il est à l'origine de la découverte des vaccins.

EX. 2, P. 20

Simple exercice de choix de l'article en fonction du genre du nom.

1. une chanteuse - un étudiant -
une musicienne - une amie - une adresse -
un boulevard - un appartement - une rue

2. la place - l'avenue - le chanteur - l'ami -
le prénom - le nom - le musicien -
le/la secrétaire.

EX. 3, P. 20

Réemploi de *je voudrais.*

Image de gauche : expression de la demande (je voudrais + nom)

« Je voudrais un dictionnaire, un stylo, des feuilles de papier, des cahiers, etc. »

Image de droite : expression du souhait (je voudrais + verbe)

« Je voudrais être musicien (chef d'orchestre), chanteur, médecin, danseuse, etc. »

Les étudiants s'interrogent ensuite sur la profession qu'ils souhaiteraient exercer.

EX. 4, P. 20

Utiliser les images non accompagnées de dialogues de la p. 16 comme déclencheurs de jeux de rôles (à préparer en petits groupes).

Les étudiants doivent préalablement lire le texte narratif.

OBJECTIFS

Vocabulaire	*Grammaire*
● *une photo - un livre - un cadeau - un stylo -* *un cahier - un concert - un spectateur - un journal* ● *joli - enthousiaste* ● *savoir - écouter - parler*	● *qu'est-ce que c'est ? c'est* + nom commun ● le complément déterminatif (de, du, de l', de la, des) ● la négation
Phonétique	*Communication*
● intonation de la négation	● identifier des objets ● exprimer son ignorance

Civilisation
● Lieux de Paris : le Café de la Paix - l'Opéra - la Place de la Concorde

DIALOGUE ET DOCUMENTS

La compréhension du dialogue passe par la compréhension de la situation et du document. Nicolas, très fier de son succès à Marseille, tend à Sylvie un journal où l'on peut voir une photo du concert. Sur cette photo, il figure aux côtés d'une splendide jeune fille qui porte un pendentif. Or, au café, Nicolas porte ce même pendentif. Les questions de Sylvie ne sont sans doute pas tout à fait désintéressées. On pourra y voir de l'ironie, de l'amusement, de la jalousie.

● Avant d'aborder l'écoute du dialogue, on présentera :

— *Qu'est-ce que c'est ? - C'est* + nom de chose à partir de questions sur les images ou sur des objets de la classe.

— *Je sais / Je ne sais pas* en compréhension globale.

● Le contenu du journal. Ce document permettra, par ailleurs, d'introduire les mots *photo, concert, jolie fille.*

● On procédera ensuite à plusieurs écoutes du dialogue et l'on demandera aux étudiants de préparer (par deux) une mise en scène du texte. L'explication du dialogue se fera alors par la vérification de la gestuelle qui accompagne les répliques.

— *Tiens !* (Nicolas tend le journal à Sylvie). *La photo du concert* (Nicolas montre la photo. Sylvie regarde alors attentivement). *La jolie fille, qui est-ce ?* (Sylvie montre la jolie fille), etc.

▓VOCABULAIRE ET GRAMMAIRE

Féminin et pluriel
Observer les marques du féminin et du pluriel (article, terminaison du nom, terminaison de l'adjectif). L'exercice 5, p. 21, peut servir d'application.

Qui est-ce? Qu'est-ce que c'est?
Ce tableau récapitule les emplois du présentatif *c'est.*
Rappelons qu'à l'oral *c'est* est de plus en plus employé à la place de *ce sont* (pluriel).

De - du - de la - de l' - des
● Récapituler et analyser les emplois de la préposition *de* dans les dialogues. Montrer son sens de détermination. Faire observer les contractions avec l'article.
● Montrer que la détermination peut avoir une valeur de possession (le livre de Sylvie), de localisation (la rue du cinéma Rex), d'identification (la photo des enfants). Ce dernier exemple pouvant aussi avoir une valeur de possession.
● Classer les formes : de (+ nom propre), du (+ nom masculin), etc.
● Rechercher des exemples.

La négation
● Rappeler l'opposition : je sais / je ne sais pas.
● Observer et analyser les exemples de la p. 19. Présenter la construction négative et notamment l'emploi de *n'* devant une voyelle ou un *h.*
● Faire les exercices d'intonation, de mécanismes, ainsi que l'ex. 7.

▓ACTIVITÉS

Phonétique et Mécanismes

● Travail sur l'intonation de la phrase négative. Visualiser l'accent tonique et la courbe intonative.
● Systématisation de la négation.

Transcription	*Phonétique* *Répétez !* Je ne sais pas (...) Il ne comprend pas (...) Elle n'habite pas à Paris (...) Ce n'est pas l'appartement de Sylvie (...) Il n'écoute pas le professeur (...) Elle n'est pas anglaise (...) *Mécanismes* *Écoutez !* Il comprend ? - Non, il ne comprend pas. *À vous ! Répondez non.* Il comprend ? (...) Non, il ne comprend pas.	Elle parle français? (...) Non, elle ne parle pas français. Jacques écoute le professeur ? (...) Non, il n'écoute pas le professeur. Carmen habite à Paris? (...) Non, elle n'habite pas à Paris. Il est Allemand? (...) Non, il n'est pas Allemand. Vous connaissez l'Angleterre? (...) Non, je ne connais pas l'Angleterre. Vous écoutez la radio? (...) Non, je n'écoute pas la radio. Vous habitez à Paris? (...) Non, je n'habite pas à Paris. Vous parlez anglais? (...) Non, je ne parle pas anglais. Vous êtes Français? (...) Non, je ne suis pas Français.

Exercices

EX. 5, P. 21

un joli stylo	des spectatrices enthousiastes	un journal français
une jolie rue	des chanteurs anglais	des médecins espagnols
un homme enthousiaste	une étudiante française	des écrivains italiens

EX. 6, P. 21

La correction de cet exercice doit permettre d'affiner l'opposition défini/indéfini.
S'assurer de la compréhension globale du texte, avant de faire l'exercice.

> *un* chanteur ... *l'*ami de Sylvie Roman (« *un* ami » serait également possible) ...
> *un* artiste ... *le* quartier Latin ... *les* cafés et *les* restaurants ...

EX. 7, P. 21

Répondre par une phrase complète

Valérie ...? ...	Non, elle n'habite pas rue Lepic.
Sylvie ...? ...	Oui, elle connaît Nicolas Legrand
L'avenue ...? ...	Non, elle n'est pas à Londres.
Roland ...? ...	Non, il ne chante pas à l'Olympia.
Vous connaissez ...? ...	réponse personnelle.

EX. 8, P. 21

Activités d'observation qui permettent de produire des phrases présentatives (c'est ..., ce sont ...). et des compléments déterminatifs (l'Opéra *de* Paris - les pyramides *d'*Égypte ...).

1. Les pyramides d'Égypte.

2. Le Colisée de Rome.

3. L'Opéra de Paris *aussi appelé Palais Garnier, du nom de l'architecte qui le construisit entre 1860 et 1875. C'est la plus belle réussite architecturale du Second Empire (Napoléon III) et la plus célèbre scène lyrique et chorégraphique de France. À gauche de la façade de l'Opéra se trouve l'un des plus célèbres cafés parisiens, le* Café de la Paix. *Non loin se trouve la rue de la Paix, célèbre pour ses bijoux (les bijoux Cartier ont acquis une réputation mondiale).*

4. *La place de la Concorde. À gauche débute l'avenue des Champs-Élysées. À droite commence le jardin des Tuileries. Au fond s'élèvent deux anciens hôtels particuliers. Au centre se dresse l'obélisque de Louxor (Égypte) offert par Méhémet-Ali au roi Charles X (1829).*
Ce monument, vieux de trente-trois siècles, est couvert de hiéroglyphes.
C'est sur cette place qu'en 1793, pendant la Révolution, Louis XVI, puis Marie-Antoinette furent exécutés.

C

OBJECTIFS

Vocabulaire	*Grammaire*
• *un cinéma - une musique - un film - une histoire - un roman* • les jours de la semaine • les mois de l'année • *travailler - lire - écrire* • *s'il vous plaît - merci - allô*	• conjugaison des verbes (p. 19)
Phonétique	*Communication*
• le son [y] opposé à [i]	• téléphoner • demander un renseignement

DIALOGUE ET DOCUMENTS

Il est recommandé de commencer par l'explication de l'image sans dialogue (dimanche 24 mai).

Dialogue

● Identifier les locuteurs. Expliquer *s'il vous plaît* en situation de classe et introduire *merci*. La compréhension du dialogue ne devrait alors poser aucun problème.

● Continuer le dialogue. Imaginer la suite (ex. 12).

« ... Elle s'appelle Valérie Florentini
— Ah, elle est italienne ?
— Non, elle est française.
— Et... elle est médecin ?

— Non, journaliste.
— Et... vous êtes très amis ?
— Non, Valérie est l'amie de Sylvie,
etc. »

Image sans dialogue (24 mai)

Roland rencontre devant un cinéma Sylvie, Nicolas et Valérie (qu'il voit pour la première fois).
Identifier les personnages, le lieu et jouer la scène de la rencontre.

> Le quartier Latin. *C'est le quartier qui s'étend autour de la Sorbonne (première université de France) et du boulevard Saint-Michel. Cette appellation vient de ce que jusqu'en 1789 la langue officielle de l'enseignement a été le latin. Maîtres et élèves utilisaient cette langue, même dans la vie courante.*

GRAMMAIRE ET VOCABULAIRE

En classe. On a rassemblé dans cette rubrique la conjugaison de quelques verbes très utilisés dans les échanges en classe.
On pratiquera donc ces formes en situation de classe.
En observant ces tableaux, on pourra, par ailleurs, commencer à introduire des remarques sur les régularités dans les conjugaisons : verbes en *er*, terminaisons des deux premières personnes des autres verbes, terminaison en *ez* à la deuxième personne du pluriel de tous les verbes.

Les jours et les mois
Retrouver les dates des différents épisodes de l'histoire et commencer à rédiger un calendrier de ces épisodes. Tout au long de l'unité, on disposera ainsi d'une chronologie des événements. On pourra imaginer des épisodes intermédiaires.

Les nombres
À pratiquer sous forme de jeux (loto, roulette, etc.).

ACTIVITÉS

Phonétique et Mécanismes

● Le son [y].
Si les étudiants ont tendance à ouvrir le [y] et à le prononcer [u], il faudra travailler en intonation montante (exclamation - interrogation) et dans un environnement de [p], [t], [k].
Si, au contraire, ils ont tendance à le fermer et à produire un [i], il faudra travailler en intonation descendante et dans un environnement de [s], [f], [ʃ].

● Transformation de l'article défini en article contracté (*de, du, de la, de l', des*).

Phonétique *Répétez !* Salut Sylvie ! Comment vas-tu ? (...) Roland Brunot habite rue Lepic (...)	S'il vous plaît ! L'avenue des États-Unis ? (...) Mireille est musicienne (...) Je lis le journal du Dimanche (...) La rue de Rivoli est une belle rue (...)

Transcription

Mécanismes

Exercice 1

Écoutez !

C'est la photo de Valérie / le concert
C'est la photo du concert.

À vous !

C'est la photo de Valérie / le concert (...)
C'est la photo du concert / la chanteuse (...)
C'est la photo de la chanteuse / l'appartement de Jacques (...)
C'est la photo de l'appartement de Jacques / les spectateurs (...)
C'est la photo des spectateurs / Nicolas (...)
C'est la photo de Nicolas.

Exercice 2

Écoutez !

Ce sont les livres de Roland / le professeur
Ce sont les livres du professeur.

À vous !

Ce sont les livres de Roland / le professeur (...)
Ce sont les livres du professeur / la secrétaire (...)
Ce sont les livres de la secrétaire / l'étudiant (...)
Ce sont les livres de l'étudiant / les enfants (...)
Ce sont les livres des enfants / Sylvie (...)
Ce sont les livres de Sylvie.

Exercices

EX. 9, P. 22

le cadeau des enfants - le stylo de Jacques - les livres de l'étudiant - la rue de Sylvie - le concert de la chanteuse - la photo du musicien.
Au Café de la Paix, Sylvie regarde la photo du concert de Nicolas et le collier de la spectatrice.

EX. 10, P. 22

- Vous travaillez le dimanche ?
- Comment il s'appelle ?
- Qu'est-ce que c'est ?
- Qui est-ce ?

EX. 11, P. 22

Procéder comme pour l'ex. 7, p. 14.
A (2) - B (1) - C (3).
« Un homme et une femme » est un film français de Claude Lelouch.

EX. 13, P. 23

Présenter l'activité en langue maternelle. Il s'agit de choisir dans la liste les propositions qu'on souhaiterait voir se réaliser.
- Compréhension des propositions (activité individuelle ou collective).
- Choix de vœux.
- Formulation d'autres vœux qui ne sont pas dans la liste.

EX. 14, P. 23

Deux scénarios sont proposés.
1. • Alain rend visite à Nicole. Il aperçoit une photo de Nicole en compagnie d'une de ses amies, Brigitte (imitation du dialogue A de la leçon 2).
   • En se promenant, Alain rencontre Brigitte par hasard (« Mais, vous êtes l'amie de Nicole ! ... »).
   • Il engage la conversation.
2. • Pierre revient de voyage. Sa femme l'attend à la gare (« Bonjour, tu vas bien ? »).
   • Le portefeuille de Pierre tombe. Une photo s'en échappe.
   • Sur la photo, on distingue Pierre en compagnie d'une jeune femme. Marie interroge Pierre (imitation du dialogue B).

Leçon 3

OBJECTIFS

Vocabulaire	Grammaire
• vocabulaire des loisirs (lieux, spectacles, sports) : voir p. 26 • *un projet - un week-end* • *faire - aller - préférer - rester - danser - voyager* • *bon/mauvais - libre/occupé - amusant - fatigué* • *voici* • *d'accord/pas d'accord*	• conjugaison des verbes *aller* et *faire* • interrogation avec *est-ce que* • prépositions de localisation : *à (au - à la - à l' - aux), chez* • *on* • logique du discours : *bon - alors - puis*
Phonétique	Communication
• intonation de l'interrogation avec *est-ce que*	• faire un projet de week-end, de vacances • proposer à quelqu'un de faire quelque chose • exprimer son accord ou son désaccord

Civilisation
• Les loisirs de deux jeunes Parisiens.

DIALOGUE ET DOCUMENTS

L'apport lexical du dialogue A étant assez important, il sera préférable de présenter préalablement le vocabulaire des loisirs avant d'aborder la conversation entre Sylvie et Nicolas.
Après une écoute du dialogue, assurer la compréhension du texte phrase par phrase.
Ce dialogue étant assez difficile, il est conseillé de travailler avec le texte écrit.

GRAMMAIRE ET VOCABULAIRE

Les loisirs (p. 26)
- • Rechercher en commun des lieux de loisirs, des activités et des sports.
- • Introduire les verbes *faire* et *aller*.
- • Organiser des micro-conversations entre étudiants.
« Qu'est-ce que tu fais le dimanche ?
— Je vais ... ».

Les prépositions de localisation qui fonctionnent avec les verbes *aller - rester - être* (p. 26).
On, pronom personnel, qui peut se substituer à *nous* (on va au cinéma) ou à un sujet indéfini (on parle français). Comparer avec la langue maternelle.
La forme interrogative avec *est-ce que* : comparer avec la question par intonation.
La rubrique « *proposer* », préparatoire à l'ex. 3.

ACTIVITÉS

Phonétique et Mécanismes

● Intonation de la question avec *est-ce que.*
En principe, la courbe intonative est ascendante à l'initiale puis descendante pour le reste de l'énoncé, mais ceci n'est pas toujours respecté.
● Exercice de transformation. Passage de la question par intonation à la question avec *est-ce que.*

Transcription	Phonétique *Répétez !* Est-ce que vous travaillez ? (...) Est-ce que tu aimes le cinéma ? (...) Est-ce que vous allez au cinéma dimanche ? (...) Est-ce qu'on va au théâtre ? (...) Qu'est-ce que vous lisez ? (...) Qu'est-ce que vous faites dimanche ? (...) *Mécanismes* *Écoutez !* Vous êtes Français ? - Est-ce que vous êtes Français ?	*À vous !* Vous êtes Français ? (...) Est-ce que vous êtes Français ? Elle aime la mer ? (...) Est-ce qu'elle aime la mer ? Il travaille le samedi ? (...) Est-ce qu'il travaille le samedi ? Tu comprends ? (...) Est-ce que tu comprends ? Vous allez à la campagne ? (...) Est-ce que vous allez à la campagne ? Elle est fatiguée ? (...) Est-ce qu'elle est fatiguée ?

Exercices

EX. 1, P. 28
Pour chaque dessin, faire écrire ce que fait le personnage et ce qu'il dit.

1. Il va au cinéma. « Je vais au cinéma. »
2. Elle va à la mer. « Je vais à la mer. »
3. Il va au théâtre, puis il va au restaurant. « Je vais ... »
4. Elle va à la montagne. Elle va faire du ski. « Je vais ... »
5. Il va au musée, puis il va faire du ping-pong. « Je vais ... »

Si cela n'a pas été fait lors de l'animation de la présentation du vocabulaire des loisirs, les étudiants s'interrogent sur leurs activités (apporter le vocabulaire nécessaire).

EX. 2, P. 28
Je vais au café.
Il habite en Italie.
Vous êtes à la campagne.

Elle reste à Paris.
Il va chez le médecin.
Elle chante aux États-Unis.

EX. 3, P. 28
Cet exercice propose deux jeux de rôles :
1. Une jeune fille téléphone à un ami pour qu'ils fassent un programme de week-end.
Il s'agit d'une imitation libre du dialogue A.
Les étudiants préparent deux par deux un dialogue qu'ils peuvent ensuiter jouer.
2. Des amis font des projets de vacances.
Ce jeu de rôles peut soit prendre la forme du précédent (préparation préalable en groupe), soit se dérouler d'une manière improvisée.

OBJECTIFS

Vocabulaire	Grammaire

• vocabulaire des loisirs (suite)
• *aimer - détester - adorer*
  inviter - venir
  avoir - il y a
  jouer (un spectacle)
• *un peu - beaucoup - pas du tout* (adverbes)
• *gentil - (être) désolé*
	• construction *verbe + infinitif* (j'aime danser)
	  On utilisera la construction *aller + infinitif* qui a souvent un sens de futur proche
	• *il y a*

Phonétique	Communication
• opposition entre [ɛ] et [e]	• exprimer ses goûts et ses préférences • inviter quelqu'un à faire quelque chose - accepter - refuser - s'excuser

Civilisation

• On pourra travailler l'expression des goûts et des préférences en présentant des monuments ou des œuvres d'art. L'ex. 5, p. 29 donnera l'occasion de présenter deux œuvres de la peinture française, l'une de Monet, l'autre de Picasso.

DIALOGUE ET DOCUMENTS

Travail à partir du questionnaire Vacances sans frontières
Ce questionnaire permettra d'introduire le vocabulaire de l'expression des goûts (aimer... un peu, beaucoup, pas du tout ; préférer, etc.) ainsi que les activités de loisirs.
Expliquer *aimer* par la mimique et en donnant des exemples.
Expliquer le sens des adverbes d'intensité (*un peu, beaucoup, pas du tout*) par une mimique et par un schéma.
Examiner la liste des moyens linguistiques qui permettent l'expression des goûts et des préférences (p. 27).
Analyser le questionnaire de Valérie pour présenter les goûts de la jeune fille.
Les étudiants peuvent ensuite exprimer leurs goûts en matière de films, de pièces de théâtre, de romans, de monuments, de pays, etc.
(Les exercices 4, 5 et 6 correspondent à cet objectif.)

Travail sur le dialogue
Présenter et expliquer les verbes *avoir, venir* et le présentatif *il y a*, en situation de classe.
Écoute du dialogue. L'image ne donnant aucune indication sur le contenu du dialogue, on s'interrogera sur : qui parle ? À qui ? Que propose Roland ? Que répond Valérie ? etc.
La connaissance des goûts de Valérie aidera la compréhension de ce dialogue.

VOCABULAIRE ET GRAMMAIRE

Aimer - adorer - préférer
Chercher un exemple pour chacune des expressions : « j'adore danser - j'aime beaucoup voyager, etc. ».
Présenter la conjonction *ou*. Rappelons qu'en français ce mot peut avoir un sens additif ou disjonctif.
« J'aime le cinéma *ou* le théâtre » : le sens est proche de *et* (j'aime l'un et l'autre indifféremment).
« Qu'est-ce que vous préférez ? Le cinéma ou le théâtre ? » (il s'agit d'un choix).

S'excuser
Imaginer et mimer des situations où l'on doit s'excuser.

Il y a
Donner des exemples : « il y a un opéra à ...? - il y a un bon film au cinéma? à la télévision? »
Faire l'ex. 7, p. 30.

Avoir (au sens de posséder)
À travailler en situation de classe.

ACTIVITÉS

Phonétique et Mécanismes

- Opposition [ɛ] - [e]
- Veiller surtout à la prononciation correcte de [e]. Éviter la confusion avec [i].
- Exercice de transformation (transformation du verbe et adjonction de l'adverbe *beaucoup*).

Transcription	*Phonétique* *Répétez !* J'aime le théâtre (...) Elle préfère les discothèques (...) Vous détestez la mer (...) J'ai deux billets pour l'opéra (...) Vous aimez le cinéma? (...) Vous êtes très fatigué (...) *Mécanismes* *Écoutez !* Vous aimez le cinéma? Oui, j'aime beaucoup le cinéma. Vous aimez voyager? Oui, j'aime beaucoup voyager.	*À vous !* Vous aimez le cinéma? (...) Oui, j'aime beaucoup le cinéma. Vous voyagez en vacances? (...) Oui, je voyage beaucoup en vacances. Elle aime les disques de rock? (...) Oui, elle aime beaucoup les disques de rock. Il regarde la télévision? (...) Oui, il regarde beaucoup la télévision. Nicolas va au cinéma? (...) Oui, il va beaucoup au cinéma. Vous aimez voyager? (...) Oui, j'aime beaucoup voyager. Vous aimez faire du tennis? (...) Oui, j'aime beaucoup faire du tennis. Elle aime aller à la mer? (...) Oui, elle aime beaucoup aller à la mer.

Exercices

EX. 4, P. 29
Exercice de rédaction dirigée. Il s'agit de présenter les goûts et les préférences de M. et Mme Dubois en utilisant les indications codées.
Expliquer le code et faire en commun les trois premières phrases. On peut coordonner certaines phrases par des conjonctions (et, mais).

Monsieur Dubois aime bien lire. Il adore la musique de Beethoven et il aime beaucoup (il écoute beaucoup) la radio. Il n'aime pas beaucoup regarder les matches de football et il déteste faire du sport.

Madame Dubois adore aller au cinéma ou regarder la télévision. Elle n'aime pas beaucoup l'opéra et pas du tout le jazz. Elle aime beaucoup faire du ski.

EX. 5, P. 29
Les deux tableaux doivent déclencher des échanges langagiers.
Fournir, à la demande, le vocabulaire complémentaire.

- « La cathédrale de Rouen » par Monet.
Claude Monet est un peintre français (1840-1926) de l'école impressionniste. C'est d'ailleurs un tableau de Monet « Impression, soleil levant » qui est à l'origine du mot impressionnisme.
Il étudie en particulier les changements de forme et de couleur en fonction de l'air et de la lumière. Il peint aussi des séries sur le même sujet à divers moments de la journée et de l'année (il existe toute une série de « Cathédrale de Rouen »). Son œuvre la plus célèbre est sans doute la série des Nymphéas, d'une facture très moderne puisqu'il atteint presque la non-figuration.

Dans le commentaire du tableau, on essaiera de préciser le moment de la journée. On pourra s'étonner de l'imprécision du trait, du flou des formes et du fondu des couleurs.

● « La femme à la collerette bleue » par Picasso.
Picasso (1881-1973) est un artiste espagnol dont l'œuvre a marqué tous les courants de l'art contemporain. On retrouvera dans ce portrait de femme l'influence du cubisme (reconstruction intellectuelle de la réalité) et de l'expressionnisme (transformation affective de cette réalité).

EX. 6, P. 30
● Faire rédiger un texte présentant les goûts de Valérie (d'après le document de la p. 24).
● Faire recopier et remplir le questionnaire par les étudiants.
● Les étudiants présentent oralement ou par écrit leur propre questionnaire ou le questionnaire d'un autre étudiant.

EX. 7, P. 30
Jeu culturel destiné à la production de la structure présentative avec *il y a.*

En France, il y a Paris. À Paris, il y a la tour Eiffel.
En Italie, il y a Venise. À Venise, il y a la place Saint-Marc.
En Angleterre, il y a Londres. À Londres, il y a la cathédrale Westminster.

Au Mexique, il y a Mexico. À Mexico, il y a des temples aztèques.
En Espagne, il y a Grenade. À Grenade, il y a l'Alhambra.

Continuer l'exercice oralement avec d'autres pays ou en faisant trouver d'autres villes ou d'autres monuments.

OBJECTIFS

Vocabulaire	Grammaire
● *un portrait* ● *différent - sportif* ● *interviewer* ● *aussi*	● coordination : *et - mais.* ● *aussi* (adverbe) ● *par* (introduisant un agent)
Phonétique	Communication
● opposition [œ] - [yn]	● faire le portrait de quelqu'un par écrit. Parler de ses goûts et de ses préférences.

Civilisation

● Les spectacles à Paris

DIALOGUE ET DOCUMENTS

Le vocabulaire de cet article est en grande partie connu. On pourra donc aborder ce document par des activités de compréhension écrite :
● lire l'article et remplir le questionnaire *Vacances sans frontières* ;

- résumer l'article par des indications codées comme dans l'ex. 4, p. 29 ;
- répondre aux questions de compréhension de l'ex. 8, p. 30.

On expliquera ensuite le sens des mots nouveaux et on travaillera plus particulièrement :
— *mais* : il aime le théâtre, mais il déteste le cinéma.
— *aussi* : c'est un artiste, c'est aussi un sportif.
La préposition *par* ne sera pas employée dans des constructions passives mais uniquement dans des expressions nominales.

ACTIVITÉS

Phonétique et Mécanismes

- Exercice visant à la discrimination du masculin et du féminin de l'article indéfini.
Dans les deux cas, l'enseignant aura sans doute à éviter une prononciation [un].
- Exercice de transformation : la construction négative.

<table>
<tr><td rowspan="2">Transcription</td><td>

Phonétique
Répétez !
C'est un artiste (...)
C'est une artiste (...)
C'est un sportif (...)
C'est une sportive (...)
C'est un musicien (...)
C'est une musicienne (...)
Je connais un chanteur et une chanteuse (...)
Il a une amie anglaise et un ami allemand (...)

Mécanismes
Écoutez !
Vous aimez beaucoup le théâtre ? Non, je n'aime pas beaucoup le théâtre.
Vous aimez beaucoup voyager ? Non, je n'aime pas beaucoup voyager.

</td><td>

À vous !
1. Vous aimez beaucoup le théâtre ? (...) Non, je n'aime pas beaucoup le théâtre.
3. Vous aimez beaucoup voyager ? (...) Non, je n'aime pas beaucoup voyager.
2. Elle écoute beaucoup la radio ? (...) Non, elle n'écoute pas beaucoup la radio.
4. Vous aimez beaucoup danser le tango ? (...) Non, je n'aime pas beaucoup danser le tango.
5. Il aime beaucoup aller à l'Opéra ? (...) Non, il n'aime pas beaucoup aller à l'Opéra.
6. Elle travaille beaucoup à l'école ? (...) Non, elle ne travaille pas beaucoup à l'école.

</td></tr>
</table>

Exercices

EX. 8, P. 30
Exercice de compréhension écrite du portrait de Nicolas Legrand.
Dans l'ordre des questions : faux - vrai - faux - vrai - vrai - vrai.

EX. 9, P. 31
Création d'un dialogue. Celui de l'interview à partir duquel l'article de Valérie a été rédigé.
Dans un premier temps, demander aux étudiants de rédiger les questions que Valérie a posées.
Les étudiants préparent ensuite l'interview deux par deux, puis le jouent.
Veiller au réemploi des appuis du discours et des coordinations (Bon, alors, mais, et).

EX. 10, P. 31
Rédaction du portrait de Valérie Florentini.
Les étudiants utiliseront les réponses de Valérie au questionnaire de Vacances sans frontières.
Cette activité de rédaction pourra être précédée d'un jeu de rôles : un journaliste interviewe Valérie Florentini.

EX. 11, P. 31

Exercice d'écoute à faire avec la cassette.

	Un journaliste interviewe Isabelle Lefranc, une jeune actrice.

J. : Isabelle Lefranc, vous êtes une très jeune actrice, et qu'est-ce que vous aimez faire ?

I.L. : J'aime beaucoup voyager. Vous savez, je n'aime pas beaucoup rester à Paris. J'adore la montagne, les promenades en montagne, le ski.

J. : Ah ! Vous êtes sportive ?

I.L. : Oui et non. Je fais du ski et de la natation.

J. : Et à Paris, vous sortez beaucoup ?

I.L. : Oui, je vais au restaurant, au cinéma.

J. : Vous aimez le cinéma ?

I.L. : Beaucoup.

J. : Et le théâtre ?

I.L. : Un peu. Je ne déteste pas. Mais je préfère la musique.

J. : La musique classique ?

I.L. : Oh non ! Je n'aime pas du tout la musique classique. J'écoute du jazz, des chansons, et j'adore danser.

Les étudiants sont pour la première fois en présence d'un enregistrement quasi authentique sans le secours de l'image ou du texte. Ce dialogue a toutefois été fabriqué avec un vocabulaire supposé connu par l'élève. Faire écouter la première question du journaliste et expliciter la situation : Qui parle ? À qui ? De quoi vont-ils parler ?

Demander ensuite aux étudiants de remplir pour Isabelle Lefranc le questionnaire de Vacances sans frontières. Cette activité peut être faite :

- au laboratoire. Les étudiants peuvent alors travailler à leur rythme ;
- en classe avec un magnétophone. L'enseignant ne devra pas hésiter à faire écouter plusieurs fois le même énoncé ;
- en classe, d'après la lecture de l'enseignant (s'il ne dispose pas d'un magnétophone ou si les conditions d'écoute ne sont pas satisfaisantes).

La mise au point peut se faire :

- avec une transcription de l'enregistrement distribuée aux étudiants ;
- à partir d'une écoute expliquée énoncé par énoncé.

EX. 12, P. 31

Analyse de documents sur les spectacles parisiens : un extrait de magazine spécialisé dans les programmes de loisirs, une colonne Morris, deux affiches.

L'officiel des spectacles *et* Pariscope *sont les plus connues des revues spécialisées dans les annonces des spectacles parisiens (théâtre, cinéma, ballets, concerts, expositions, musées, etc.). Ces magazines paraissent le mercredi. On les trouve chez les marchands de journaux.*
L'extrait de la page 31 mentionne quelques grandes salles parisiennes : l'Opéra, le Théâtre des Champs-Élysées, la salle Pleyel (salles de concert) et le Zénith (grande salle pour les concerts de rock). Notons que de nombreux concerts de musique classique sont donnés dans les églises (certains de ces concerts sont gratuits le dimanche). Le Caveau de la Bolée est un cabaret (on peut y prendre des consommations) spécialisé dans le jazz. Le Théâtre de la Cité internationale est situé dans la Cité universitaire internationale.
Le Grand Rex *est le plus grand cinéma de Paris. On trouve une grande concentration de cinémas sur les Champs-Élysées, dans les quartiers Montparnasse, Saint-Michel et sur les boulevards proches de l'Opéra.*
Les colonnes Morris *sont de larges colonnes cylindriques sur lesquelles sont affichés divers spectacles. Sur celle de la page 31, le programme de la Comédie-Française.*
On trouvera par ailleurs deux affiches :
Police Python 350. *Il s'agit d'un film policier interprété par Yves Montand et Simone Signoret.*
La Cantatrice chauve *et* la Leçon, *deux courtes pièces de Ionesco, jouées au théâtre de la Huchette, tous les soirs, sans interruption depuis le début des années 50.*

Dans un premier temps, les étudiants explorent les documents en petits groupes, bâtissent un programme de week-end.

Ils présentent ensuite ce programme en justifiant leur choix.

Dans un deuxième temps (ou au cours de la présentation des programmes), on procède à une mise en commun des connaissances culturelles et générales relatives à ces documents.

LEÇON 4

UNITÉ 1

OBJECTIFS

Vocabulaire	Grammaire
• *un hôpital - une bibliothèque - un rendez-vous - un dentiste - un déjeuner - un dîner* • vocabulaire relatif au thème de l'heure (voir p. 34) • verbes de mouvement : *arriver - partir - entrer - sortir - rentrer* • *avec - devant - maintenant* • bonne nuit	• constructions propres au thème de l'heure • constructions des verbes *commencer* et *finir* • construction des verbes de mouvement
Phonétique	Communication
• le *e* non prononcé et la liaison	• situer dans le temps. Demander/dire l'heure, lire un agenda, un horaire.

Civilisation
• La Comédie-Française   • Les gares de Paris

DIALOGUE ET DOCUMENTS

L'agenda de Sylvie

• Enseigner à demander et à dire l'heure : utiliser les exemples de la p. 34 ainsi que de nombreux autres exemples.

• Observer l'agenda. Faire trouver à qui il appartient. Faire des hypothèses sur le sens des mots nouveaux. Raconter les deux journées de Sylvie.

Inciter les étudiants à faire des remarques sur la personnalité de Sylvie (elle travaille beaucoup) et sur sa vie privée (elle voit toujours Nicolas, mais elle déjeune avec Roland).

Identifier le lieu. Retrouver l'indication du rendez-vous sur l'agenda de Sylvie.

• Écoute du dialogue. Isoler les trois répliques qui permettent la compréhension du dialogue :

« Sylvie : La pièce commence à huit heures et demie !

Nicolas : Quelle heure est-il ?

Sylvie : Neuf heures et quart. »

Assurer la compréhension de la situation (Nicolas est très en retard).

Assurer la compréhension du reste du dialogue en faisant faire des hypothèses sur le sens.

Commenter l'attitude désinvolte de Nicolas face à la colère de Sylvie (peut-être n'avait-il pas envie d'aller à la Comédie-Française... ou tout simplement de passer la soirée avec Sylvie. Commenter la réaction finale de Sylvie.

• Jouer la scène.

La Comédie-Française. Société de comédiens fondée par Louis XIV en 1680 lorsqu'il réunit la troupe de Molière, celle du Marais et celle de l'Hôtel de Bourgogne.
En 1812, Napoléon Ier l'installe au Palais Royal où elle se trouve toujours.
La mission de la Comédie-Française consiste à maintenir le répertoire de qualité, qu'il soit classique (on y joue régulièrement Molière, Corneille, Marivaux, etc.) ou contemporain (Ionesco, Beckett, etc.). Mais on peut y assister également à des créations.

VOCABULAIRE ET GRAMMAIRE

L'heure
● *Demander / dire l'heure* (les exercices 1 et 2 peuvent servir d'exercices d'apprentissage ou d'application).
● *En avance / en retard / à l'heure.* Faire appel à l'expérience des étudiants pour trouver des exemples.
● *Commencer / finir.* Observer les tableaux de conjugaison et de fonctionnement et donner des exemples. Prolonger avec l'exercice 4.

Arriver / partir - entrer / sortir
● Observer les tableaux. Visualiser par un schéma au tableau l'opposition *arriver à ... / arriver de ...* et *partir de ... / partir à ...*
● Expliquer l'opposition *entrer / rentrer* (retourner chez soi).

ACTIVITÉS

Phonétique et Mécanismes

● La liaison et le *e* non prononcé.
Écrire la première phrase au tableau pour visualiser la chute du *e* et l'enchaînement.
Dicter une ou deux phrases d'après l'enregistrement afin que les étudiants décomposent la chaîne sonore.
● Questions/réponses sur l'expression de l'heure.

Transcription	

Phonétique
 Répétez !
 Elle arrive (...)
 Elle habite place Monge (...)
 Elle arrive à quatre heures (...)
 La pièce commence à huit heures et demie (...)
 Elle adore aller à la mer (...)
 Je préfère écouter de la musique classique (...)
 	
 Mécanismes
 Écoutez !
 ● À quelle heure il déjeune ? / midi
    Il déjeune à midi.
 ● À quelle heure elle commence à travailler ? / neuf heures.
    Elle commence à travailler à neuf heures.
 	
 À vous !
 ● À quelle heure il déjeune ? / midi (...)
    Il déjeune à midi.
	● À quelle heure vous dînez ? / huit heures (...)
	    Je dîne à huit heures.
	 ● À quelle heure commence le film ? / dix heures (...)
	    Il commence à dix heures.
	 ● À quelle heure vous partez ? / deux heures et demie (...)
	    Je pars à deux heures et demie.
	 ● À quelle heure elle sort ? / trois heures moins le quart (...)
	    Elle sort à trois heures moins le quart.
	 ● À quelle heure elle commence à travailler ? / neuf heures (...)
	    Elle commence à travailler à neuf heures.
	 ● À quelle heure il finit de dîner ? / huit heures et quart (...)
	    Il finit de dîner à huit heures et quart.
	 ● À quelle heure vous finissez de travailler ? / six heures (...)
	    Je finis de travailler à six heures.

Exercices

EX. 1, P. 36

10 h 30 -	a) dix heures trente	b) dix heures et demie
6 h 45 -	a) six heures quarante-cinq	b) sept heures moins le quart
13 h 15 -	a) treize heures quinze	b) une heure et quart
0 h 10 -	a) zéro heure dix	b) minuit dix
21 h 25 -	a) vingt-et-une heures vingt-cinq	b) neuf heures vingt-cinq
23 h 50 -	a) vingt-trois heures cinquante	b) minuit moins dix

EX. 2, P. 36

La ville de Paris compte six gares principales pour le trafic vers la banlieue et vers la France.
La gare du Nord *(couvre le nord et le nord-est).*
La gare de l'Est *(couvre l'est).*
La gare de Lyon *(les trains qui en partent vont vers la Bourgogne, les Alpes, la Provence et le Languedoc).*
La gare d'Austerlitz *(vers le sud-ouest et le centre).*
La gare Montparnasse *(vers le centre et l'ouest).*
La gare Saint-Lazare *(vers la Normandie et la Bretagne).*
(La gare d'Orsay est maintenant transformée en musée : le musée d'Orsay.)
On remarquera l'architecture originale de la gare du Nord et devant la gare Saint-Lazare une étrange sculpture d'Arman, l'Heure de Tous (1985). Il s'agit d'une accumulation de pendules marquant des heures différentes. Placée devant une gare où la notion de temps est toujours importante, cette œuvre est une sorte de provocation destructrice mais en même temps un appel à d'autres valeurs.

EX. 3, P. 36

Travail de lecture d'un horaire de T.G.V.
Repérer le trajet des trains sur une carte et expliquer les symboles avant de faire l'exercice :

D = départ   A = arrivée |O| restauration   ◆ 1re classe uniquement

Le train 803 part de Paris à *7 heures*. Il arrive à Marseille à *onze heures quarante-six*.
Le train 807 *part de* Paris à 7 h 40. Il *arrive à* Valence à 10 h 38.

Le train 833 *part de* Paris à 8 h 29. Il *arrive à* Lyon à 10 h 33.
Il est 15 h 27, le train 833 *arrive à* Nice. Il *vient d'*(arrive d') Antibes.

Prolonger l'exploitation du document par des questions orales.

Le T.G.V. (train à grande vitesse) fait le trajet Paris-Lyon en 2 heures (3 h 48 par un train ordinaire). Il peut atteindre la vitesse maximale de 260 km/h. Pour avoir accès au T.G.V., il faut obligatoirement avoir fait une réservation (celle-ci peut être prise à des distributeurs automatiques jusqu'à l'heure de départ du train).
En 1988, le T.G.V. desservait la Suisse (Paris-Lausanne en 3 h 41), les Alpes (Paris-Chambéry en 3 h 13) et le sud (Paris-Montpellier en 4 h 40). L'ouverture de plusieurs lignes était prévue pour les années suivantes.

EX. 4, P. 37

... Elle est en retard ... Elle est à l'heure ... Il est en retard ... Il est en avance ... Elle est en retard (ou juste à l'heure si elle a le temps de sauter dans le train).

EX. 5, P. 37

Récit écrit des journées des 5 et 6 juin d'après l'agenda de Sylvie.

B

OBJECTIFS

Vocabulaire	Grammaire
• *une discothèque - un danseur* • *mauvais / bon* • *vouloir - pouvoir - apprendre - laisser* • *dans* • *attention*	• conjugaison des verbes : *vouloir - pouvoir - savoir* • interrogation par inversion du pronom sujet • négation des structures *verbe* + *verbe* • impératif (2es personnes)
Phonétique	**Communication**
• le son [ϕ] opposé à [e] et à [ε]	• inviter quelqu'un - accepter / refuser une invitation • exhorter • mettre en garde (*attention !*)

Civilisation

• Psychologie et comportement de jeunes Français.
• Lieux de Paris : Notre-Dame - La Géode (Cité des Sciences et des Techniques de la Villette) - la statue de Louis XIV à Versailles - la statue de Jeanne d'Arc.

DIALOGUE ET DOCUMENTS

• Écoute du dialogue et observation de l'image. Identifier le lieu (une discothèque) et reconnaître les quatre personnages de l'histoire. Remarquer Nicolas en train de danser avec une inconnue, l'attitude vexée de Valérie, l'air désolé de Roland.
La phrase d'invitation de Valérie peut se comprendre à partir de la réponse de Roland. Donner d'autres exemples de la forme *voulez-vous* + *verbe* en jouant des invitations ou des propositions : « voulez-vous chanter... voulez-vous écouter un disque de... ».
— *Apprenez*. Assurer tout d'abord la compréhension du verbe *apprendre* (vous apprenez le français, les conjugaisons, etc.). Le sens exhortatif de l'impératif sera compris par l'intonation.
— « ... *je ne peux pas laisser Sylvie* ». Faire des hypothèses sur les raisons que Roland invoque pour se dérober à l'invitation de Valérie.
Présenter le verbe *pouvoir* avec des exemples : je peux / je ne peux pas ouvrir la porte... comprendre le dialogue. Présenter également le sens moral de ce verbe : je ne peux pas partir maintenant / je ne peux pas chanter en classe.
— « *Attention !* ». Faire trouver des situations qui nécessitent des mises en garde.
• On pourra, par ailleurs, essayer de cerner la psychologie des personnages. Pourquoi Valérie invite-t-elle Roland ? Est-ce une attitude purement amicale ? Est-ce par jalousie ? (Nicolas danse avec une superbe inconnue. Roland semble s'occuper de Sylvie.)
Pourquoi Roland refuse-t-il ? Est-il vrai qu'il ne sache pas danser ? Son désir de ne pas s'occuper de Sylvie est-il un prétexte ?
• On pourra aussi commenter le fait que c'est une fille qui invite un jeune homme à danser. C'est en France une chose tout à fait courante entre amis. Mais lorsqu'il s'agit de personnes qui se connaissent peu, les habitudes traditionnelles prévalent encore dans la plupart des cas.

VOCABULAIRE ET GRAMMAIRE

Interroger (p. 35). Présenter la forme interrogative par inversion du pronom sujet.

Présenter la construction à la 3e personne du singulier

Jacques part-il ?   Annie apprend-elle ?

Roland aime-t-il danser ?   Valérie invite-t-elle Roland ?

Dans la langue courante, ce sont les questions par intonation ou avec *est-ce que* qui sont les plus fréquentes. La question par inversion est fréquente dans certaines formules courtes (Quelle heure est-il ? Quel âge as-tu ?).

Faire l'ex. 7, p. 38.

Inviter

● Faire l'inventaire des formes linguistiques qui permettent d'inviter et de répondre positivement ou négativement à une invitation.

● Pratiquer les verbes *pouvoir* et *vouloir*.

Demander

Imaginer des situations de demande d'autorisation.

« Est-ce que je peux venir avec vous, aller au cinéma, inviter Valérie, ... » etc.

Savoir - connaître

Ces verbes ne sont pas interchangeables. *Savoir* s'emploie en relation avec une aptitude, une capacité (qui peut être la capacité de mettre en œuvre sa mémoire). *Connaître* signifie avoir eu l'expérience de quelque chose ou de quelqu'un et avoir stocké cette expérience dans sa mémoire.

Au niveau I, on se contentera de donner la distribution

savoir + verbe (je sais danser)

savoir + matière à apprendre (je sais la leçon)

savoir + complétive (je sais comment il s'appelle)

connaître + nom (je connais l'Italie).

L'ex. 8 permettra de réemployer ces verbes.

L'impératif

Il s'agit d'une première approche. On donne seulement les formes de la deuxième personne.

Comparer l'orthographe du présent de l'indicatif et de l'impératif.

À pratiquer sous forme de jeu en donnant des ordres positifs ou négatifs en classe.

ACTIVITÉS

Phonétique et Mécanismes

● Le son [∅] opposé à [e] et à [ɛ].

● Exercice de transformation : *pouvoir* et *vouloir* à la forme positive et négative

<table>
<tr><td rowspan="2">Transcription</td><td>

Phonétique
Répétez !
Il peut aller à l'Opéra (...)
Elle veut arriver à l'heure* (...)
Il a deux rendez-vous (...)
Écoutez la chanteuse ! (...)
Monsieur Boissier est un peu fatigué (...)

Mécanismes
Écoutez !
Vous pouvez venir ? / Oui (...)
Oui, je peux venir.
Il veut partir ? / Non (...)
Non, il ne veut pas partir.

À vous !
Vous pouvez venir ? / Oui (...)
Oui, je peux venir.

</td><td>

Il veut partir ? / Non (...)
Non, il ne veut pas partir.
Vous voulez regarder la télévision ? / Oui (...)
Oui, je veux regarder la télévision.
Il sait danser le rock ? / Non (...)
Non, il ne sait pas danser le rock.
Pouvez-vous arriver à l'heure ? / Oui (...)
Oui, je peux arriver à l'heure.
Savez-vous parler russe ? / Non (...)
Non, je ne sais pas parler russe.
Il veut aller à la campagne ? / Oui (...)
Oui, il veut aller à la campagne.
Est-ce qu'on peut déjeuner à midi ? / Non (...)
Non, on ne peut pas déjeuner à midi.

</td></tr>
</table>

* Le [œ] sera étudié en II 1 A.

EX. 6, P. 37

Il s'agit surtout de travailler les verbes *savoir* et *connaître* en questions et en réponses : « Vous connaissez cette cathédrale ? Vous savez le nom de ce personnage ? ».

Mettre en commun puis compléter les connaissances des étudiants (les étudiants peuvent également chercher les compléments d'information dans des dictionnaires ou sur des fiches que l'enseignant aura distribuées).

● Notre-Dame de Paris *(vue de la Seine).*
Construite de 1163 à 1345, elle présente toute l'évolution de l'Art gothique.

● Statue équestre de Jeanne d'Arc.
Jeanne d'Arc est une héroïne française de la guerre de Cent Ans (longue guerre entre l'Angleterre et la France de 1337 à 1453). À 13 ans, elle entend des voix surnaturelles qui lui ordonnent de délivrer la France, alors occupée en majeure partie par les Anglais. Elle réussit à se faire confier une armée qui, pendant un an, remporte de nombreuses victoires. Mais Jeanne est faite prisonnière, jugée et brûlée vive comme hérétique et sorcière. Réhabilitée quelques années après, puis béatifiée par l'Église, elle reste une grande figure symbolique qui a inspiré de nombreuses œuvres littéraires, cinématographiques ou artistiques.

● La Géode à la Cité des Sciences et des Techniques de La Villette.
Située au nord de Paris, la Cité des Sciences et des Techniques met à la portée du grand public les découvertes scientifiques et technologiques les plus actuelles. C'est un musée actif où le visiteur participe, manipule, agit, expérimente, ce qui lui permet de comprendre les lois les plus abstraites des mathématiques, de l'acoustique, etc.
La Géode est le lieu le plus spectaculaire de ce musée. Cette immense sphère qui reflète la totalité de l'environnement contient une salle de projection dont l'écran est constitué par la paroi intérieure de la sphère.

● Statue équestre de Louis XIV à Versailles.
Louis XIV, roi de France de 1643 à 1715. Dans sa jeunesse, il connaît la révolte des nobles contre le roi (la Fronde). Cela lui inspire le culte de l'absolutisme et la crainte de résider à Paris. Il développe une sorte de mystique du pouvoir absolu (le Roi-Soleil), une politique de conquêtes et un dirigisme étatique sur le plan économique. À la fin de son règne, la France est économiquement et moralement épuisée, mais la culture française rayonne dans l'Europe entière.
Désireux de vivre à l'extérieur de Paris, Louis XIV fait construire le Château de Versailles où il rassemble la noblesse autour de lui.

EX. 7, P. 38

a) Elle part ? Est-ce qu'elle part ? Part-elle ?
b) Vous partez à 8 h ? Est-ce que vous partez ... ? Partez-vous ... ?
c) Vous pouvez venir ? Est-ce que vous pouvez ... ? Pouvez-vous ... ?
d) Vous aimez le cinéma ? Est-ce que vous aimez ... ? Aimez-vous ... ?
e) Nicolas vient danser ? Est-ce qu'il vient danser ... ? Vient-il ... ?
f) Valérie habite à Marseille ? Est-ce qu'elle habite ... ? Habite-t-elle ... ?

EX. 8, P. 38

Les étudiants répondent en fonction de leurs aptitudes.

Je peux / je ne peux pas chanter.   Je peux / je ne peux pas chanter devant 2 000 spectateurs.

Certaines réponses devront déclencher des remarques et des commentaires.

EX. 9, P. 38

Il ne s'agit pas d'un exercice de transformation mécanique. La phrase donnée doit être comprise et déclencher un ordre.

a) Dansez le rock !   b) N'allez pas au théâtre !
c) Regardez la télévision !   d) N'écoutez pas la radio !
e) Faites du sport !   f) Arrivez à l'heure !
h) Reste chez toi !   i) Chante !

OBJECTIFS

Vocabulaire	Grammaire
• *une tournée* (artistique) • *sur* (+ nom de lieu)	• la négation des quantités indéfinies *ne (n') ... pas de ...*
Phonétique	*Communication*
• le son [φ] opposé à [ɔ] et à [o]	• inviter quelqu'un par écrit. Répondre à une invitation.

DIALOGUE ET DOCUMENTS

On abordera ces deux documents dans l'éclairage des questions que l'on s'est posées sur les sentiments des personnages dans les dialogues précédents.
• Le contenu des lettres ne devrait pas poser de problèmes (expliquer *tournée* et, éventuellement, le nom du restaurant).
• Que nous apprennent ces lettres sur l'évolution des relations avec les personnages ?
Montrer que le renversement de situation était prévisible (voir leçon 3 : goûts et préférences).

VOCABULAIRE ET GRAMMAIRE

La négation ne (n') ... pas de ...
Comparer la forme de la négation en fonction de l'article qui précède le complément du verbe.
Attention ! Il ne s'agit pas là d'une règle absolue. On peut trouver l'article indéfini après la négation lorsque la négation porte davantage sur le verbe que sur le complément.
Il ne veut pas de livre = [il ne veut aucun livre].
Il ne veut pas un livre. Il veut une cassette = [Il ne veut pas ... un livre. Il veut ... une cassette]. Ce n'est pas un livre qu'il veut mais une cassette.

ACTIVITÉS

Phonétique et Mécanismes

• Le son [φ] opposé à [ɔ] et à [o].
Renforcer la fermeture de [φ] en travaillant ce son dans un environnement de [s], [f], [v].
• Passage de l'article indéfini *un, une, des*, à la forme négative *pas de, pas d'*.

Transcription

Phonétique
Répétez !
Elle veut commencer (...)
Bonjour Monsieur Gomès ! (...)
Il fait deux cadeaux (...)
Elle ne peut pas sortir de l'hôpital (...)
Il y a un joli film jeudi au cinéma Rivoli (...)
Il veut déjeuner au restaurant (...)

Mécanismes
Exercice 1
Écoutez !
Tu as un stylo ? ⟶ Non, je n'ai pas de stylo.

À vous !
Tu as un stylo ? (...) Non, je n'ai pas de stylo.
Vous avez un dictionnaire ? (...) Non, je n'ai pas de dictionnaire.
Il a une voiture ? (...) Non, il n'a pas de voiture.
Elle a une photo de Nicolas ? (...) Non, elle n'a pas de photo de Nicolas.
Vous avez des disques de Nicolas Legrand ? (...) Non, je n'ai pas de disques de Nicolas Legrand.

Exercices

EX. 10, P. 38

- Elle n'aime pas le sport.
- Je ne veux pas de dictionnaire.
- Il n'y a pas de théâtres dans le Sahara.
- Il n'a pas de voiture.
- Je n'aime pas beaucoup la musique.
- Elle ne veut pas chanter de chanson.

EX. 11, P. 39

Exercice d'écoute à faire avec la cassette.
Recopier l'agenda de Valérie et le remplir au fur et à mesure de l'écoute.
Après une ou deux écoutes, procéder séquence par séquence.

Sylvie téléphone à Valérie pour lui proposer d'aller à la campagne. Mais Valérie a beaucoup d'engagements.

Sylvie : Allô Valérie ? C'est Sylvie.	Sylvie : Et lundi, tu es libre ?
Valérie : Ah, bonjour Sylvie !	Valérie : Hélas non ! À 7 h, je pars à Marseille. J'arrive à midi moins le quart. À 1 h, je déjeune avec le directeur du journal « La Provence » et à 3 h, je fais une interview de Michel Barrot.
Sylvie : Valérie, qu'est-ce que tu fais dimanche ? Je voudrais aller à la campagne et ...	
Valérie : Je suis désolée Valérie, mais je ne suis pas libre dimanche. Écoute ! : à 9 h je fais du tennis avec Jacques. À midi, je déjeune avec Jacques... et à 3 heures, on va au théâtre. Je rentre chez moi à 7 h pour travailler.	Sylvie : L'artiste de cinéma ?
	Valérie : Oui. Et après, je dîne avec lui.

EX. 12, P. 39

Activité de créativité orale et écrite.
Il s'agit d'inventer un programme d'émissions de radio ou de télévision et d'imaginer des titres.
Le vocabulaire déjà connu permet de nombreuses possibilités.
Travailler par groupes de trois ou quatre étudiants :
- brain-storming de recherche de programmes et de titres ;
- mise en forme écrite de programmes ;
- présentation orale.

Exemple : « ... 11 h. Rencontre avec une artiste : Isabelle Lefranc... 14 h. Rendez-vous au théâtre ... ».

EX. 13, P. 39

Jeux de rôles reprenant les situations des dialogues.
a) Un homme rentre tard chez lui (il est 9 h). Sa femme ne semble pas contente. Le dîner est brûlé. L'homme semble penaud et s'excuse. (Adaptation du dialogue A.)
b) Une jeune femme invite un jeune homme à se baigner dans la piscine. Ce dernier refuse. (Adaptation du dialogue B.)
On donnera aux étudiants le vocabulaire dont ils pourraient avoir besoin (le verbe *nager* semble nécessaire dans la deuxième situation).
Préparer les dialogues par deux avant de les jouer.

EX. 14, P. 39

Procéder en trois étapes. Assurer chaque fois la compréhension du document.
Confronter les textes rédigés par les étudiants. Pour le document *a*, on trouvera sans doute des acceptations et des refus. Pour les documents *b* et *c*, demander des formulations différentes.

LEÇON 5

OBJECTIFS

Vocabulaire	Grammaire
• la description physique et psychologique des personnes (voir p. 42) • *un jardin - l'enfance* • *rêver* • *vraiment*	• féminin et pluriel des adjectifs • construction et place de l'adjectif épithète
Phonétique	Communication
• le son [y] opposé à [u]	• caractériser les personnes

DIALOGUE ET DOCUMENTS

Il est recommandé de commencer par la rubrique vocabulaire et grammaire.

Dialogue

• Présenter le lieu. Reconnaître les personnages.

• Faire des hypothèses sur le sujet de la conversation (parlent-ils de Nicolas ? La conversation est-elle anodine ? S'agit-il d'une conversation amoureuse ?).

• Écoute du dialogue avec pour objectif de confirmer ou d'infirmer ces hypothèses.

Trois mots seulement sont nouveaux : *rêver* (dont le sens peut se comprendre par la situation), *enfance* (dérivation d'*enfant*), *vraiment* (dérivation de *vrai* - sens proche de *très*).

Il sera donc facile de découvrir le projet de vacances de Sylvie.

• Commenter l'attitude de Roland et ce que Sylvie dit de Nicolas.

• Jouer la scène.

Le jardin des Tuileries : *grande promenade aménagée par l'architecte Le Nôtre (sous Louis XIV), qui va du Louvre à la place de la Concorde. Un rendez-vous des promeneurs depuis le XVIIe siècle.*

VOCABULAIRE ET GRAMMAIRE

Présenter le vocabulaire permettant la description physique des personnes (premier tableau).

Appliquer ce vocabulaire à des personnes connues en employant les structures :

« X est grand, mince... C'est un jeune homme grand, mince... ».

Faire les remarques nécessaires sur les formes du féminin et du pluriel et sur les constructions.

La place de l'adjectif est une notion complexe qui recouvre des subtilités sémantiques (cf. : un grand homme - un homme grand). Au niveau I, on se contentera de présenter une partie du système :

• les adjectifs courts sont généralement placés avant le nom, les adjectifs longs sont placés après :

« les beaux livres - les livres amusants »

- les adjectifs courts sont placés après dans une énumération :
« C'est un homme grand, mince et blond »

Attention ! Il ne s'agit là que de règles provisoires. Elles seront très vite infirmées par des exemples contraires.

Procéder de la même manière avec le vocabulaire de la description psychologique (deuxième tableau). Exercice de brain-storming :
- donner le nom d'un personnage connu (artiste, homme politique, etc.) et rechercher tous les qualificatifs qui peuvent s'appliquer à lui ;
- donner un qualificatif et rechercher les personnes qu'il peut décrire.

On pourra faire ensuite les mécanismes et les exercices 1, 2 et 3.

ACTIVITÉS

Phonétique et Mécanismes

- Le son [y] opposé à [u]. Voir remarques en I 2 C.
- Masculin, féminin et pluriel des adjectifs.

Transcription	**Phonétique** *Répétez !* Vous allez sur la Côte d'Azur ? (...) Bien sûr, nous aimons la musique ! (...) Tu viens au musée (...) J'ai des amis amusants (...) La musicienne brune est souriante (...) Il est courageux ? (...) **Mécanismes** *Écoutez !* C'est un homme intéressant / une femme → c'est une femme intéressante / des amis → ce sont des amis intéressants	*À vous !* C'est un homme intéressant / une femme (...) C'est une femme intéressante / des amis (...) Ce sont des amis intéressants / des filles (...) Ce sont des filles intéressantes. C'est un livre ennuyeux / une pièce (...) C'est une pièce ennuyeuse / des chansons (...) Ce sont des chansons ennuyeuses. C'est un vieux livre / une photo (...) C'est une vieille photo / un appartement (...) C'est un vieil appartement / des amis (...) Ce sont de vieux amis.

Exercices

EX. 1, P. 44

- Une femme intelligente.
  Un beau tableau.
  Des belles images (de belles images).
  Une vieille photo.

- Elles sont musiciennes.
  Paul et Jacques sont petits.
  Marie est grande et brune.
  Ils sont contents.

- Ce sont des enfants timides.
  C'est un homme antipathique.
  C'est une femme souriante et gentille.
  Ce sont des femmes intelligentes et courageuses.

EX. 2, P. 44

Donner un nom à chaque personnage.
Les caractériser physiquement.
Observer leur expression et leur comportement et imaginer des caractéristiques psychologiques.
Noter ces caractéristiques au tableau.
Cette activité peut déboucher sur la rédaction d'un texte descriptif.

EX. 3, P. 44

Certains étudiants auront sans doute lu le roman de Victor Hugo en langue maternelle ou auront vu l'un des films qui en ont été tirés. Leur demander de raconter le sujet de l'histoire en présentant les personnages en français.

Si les étudiants ne connaissent pas l'histoire :
- ils décrivent chaque personnage ;
- ils imaginent une histoire possible entre ces personnages ;
- l'enseignant raconte l'histoire du roman.

> Notre-Dame de Paris *(1831), qui se passe au Moyen Âge, est l'histoire d'*Esmeralda, *une jeune bohémienne hautaine, silencieuse mais sensible qui pour gagner son pain, danse et prédit l'avenir. Elle inspire un amour passionné à* Claude Frollo, *archidiacre de Notre-Dame, inquisiteur tourmenté par la chair et à* Quasimodo, *le sonneur de cloches, bossu, difforme, mais doté d'une force colossale. Frollo charge Quasimodo d'enlever Esmeralda. Mais la jeune fille est sauvée par* Phœbus, *un jeune capitaine des archers qui voit en Esmeralda la possibilité d'une aventure sans lendemain. Au moment où Phœbus va profiter de la reconnnaissance amoureuse que lui porte la jeune fille, Frollo le tue. Esmeralda dédaigne Frollo qui l'accuse du meurtre de Phœbus. La jeune fille est condamnée, mais Quasimodo surgit et l'emporte dans son repaire, au sommet de Notre-Dame. C'est alors que le petit peuple des mendiants, des réprouvés et des truands qui vit aux alentours de la cathédrale se soulève pour sauver la jeune fille. Frollo profite du tumulte pour ravir une seconde fois Esmeralda. À nouveau repoussé, il finit par la livrer à une recluse à demi-folle qui porte une haine farouche aux bohémiens depuis que ces derniers lui ont enlevé sa fille. Coup de théâtre. La folle reconnaît en Esmeralda la fille qu'on lui a volée. Mais des gardes arrivent. Esmeralda est suppliciée. Quasimodo précipite Frollo du haut des tours de Notre-Dame et s'en va mourir dans le cimetière des condamnés en tenant dans ses bras le cadavre d'Esmeralda.*
>
> *Toute l'histoire a un témoin passif, Pierre Gringoire, lui aussi fasciné par Esmeralda.*

OBJECTIFS

Vocabulaire	Grammaire
• *la mer - le village* *amitiés* (formule épistolaire) • *passer* (le temps, les vacances) - *voir* • *là-bas - si - bien sûr* *on y va.*	• la question négative la réponse à une question négative (*si / non*) • conjugaison des verbes : les trois personnes du pluriel
Phonétique	Communication
• intonation de la question négative	• identifier quelqu'un • proposer à quelqu'un de faire quelque chose

DIALOGUE ET DOCUMENTS

La carte postale
Repérer destinataire, destinateur et lieu de l'envoi.
Découvrir ce que propose Sylvie.
Découvrir par inférence d'après le contexte le sens des mots *mer* et *village*.
Imaginer alors quel a pu être la suite de la conversation entre Sylvie et Roland au jardin des Tuileries.
Imaginer et rédiger la réponse de Roland.
Il est recommandé de commencer par l'explication de la carte postale (voir rubrique « Vocabulaire et grammaire »).

• Écoute du dialogue et observation de l'image. Assurer la compréhension de la situation.
Expliquer :
— *voir* : ce que l'on voit / ce que l'on ne voit pas... en classe, sur l'image A, avec ou sans lunettes, etc.
Différencier le sens de *voir* (passif) et de *regarder* (actif).
— *là-bas* : par la gestuelle. Les adverbes de lieu seront vus en II 1. Se contenter d'un sens approximatif.
— *on y va* : par le mime (ou la traduction).
— *bien sûr* : faire induire le sens de cette locution et traduire.

On remarquera que Sylvie et Roland, qui se vouvoyaient jusqu'à présent, se disent maintenant *tu*.
- Jouer le dialogue.
- Imaginer et jouer la suite du dialogue : la rencontre entre les quatre amis.

▆ *VOCABULAIRE ET GRAMMAIRE*

Interroger / répondre
Montrer la structure de l'interrogation négative (interrogation par intonation et avec *est-ce que*).
Analyser la distribution *si / oui / non*.
Manipuler ces structures par des jeux de questions/réponses en classe.
« Tu n'a pas de stylo ? - Vous n'apprenez pas le français ? ... »

La conjugaison des verbes
Faire découvrir les pronoms *nous - vous* (pluriel) - *ils/elles*.
Montrer l'identité de forme entre le *vous* singulier et le *vous* pluriel.
Présenter la conjugaison des verbes en *er* (recenser tous ceux que l'on connaît).
Présenter les tableaux de conjugaison p. 212 à 215.

▆ *ACTIVITÉS*

Phonétique et Mécanismes

- L'intonation de la phrase interro-négative.
- Exercice de conjugaison (1re personne du pluriel).

Transcription	*Phonétique* *Répétez !* Ce n'est pas Nicolas ? (...) Sylvie n'aime pas le cinéma ? (...) Vous n'allez pas au théâtre ? (...) Il ne veut pas danser ? (...) Vous ne voulez pas venir ? (...) Elle n'est pas sympathique ? (...) *Mécanismes* *Écoutez !* Voulez vous déjeuner ? / oui Nous voulons déjeuner. Allez-vous au cinéma ? / non Nous n'allons pas au cinéma.	*À vous !* Voulez-vous déjeuner ? / oui (...) Nous voulons déjeuner. Allez-vous au cinéma ? / non (...) Nous n'allons pas au cinéma. Venez-vous chez nous ? / oui (...) Nous venons chez vous. Partez-vous en vacances ? / non (...) Nous ne partons pas en vacances. Connaissez-vous la Côte d'Azur ? / oui (...) Nous connaissons la Côte d'Azur. Êtes-vous courageux ? / oui (...) Nous sommes courageux. Aimez-vous aller dans les musées ? / non (...) Nous n'aimons pas aller dans les musées. Avez-vous une voiture ? / oui (...) Nous avons une voiture.

Exercices

EX. 4, P. 45

Nous *sommes* tous des poètes.
En français nous *faisons* la fête
et nous *jouons* du violon
avec les mots de la leçon.
Nous *écoutons*, nous *répondons*.

Nous *savons* dire oui et non.
Nous *faisons* bien attention
à toutes les explications.
Et la nuit, quand nous *dormons*,
nous *rêvons* de conjugaisons.

Ce texte contient quelques mots inconnus : *fête - violon - dormir* et du vocabulaire de classe (*mot - leçon - répondre - explication*).

EX. 5, P. 46

- Oui, elle est sur la Côte d'Azur.
- Si, il chante à l'Olympia.
- Si, il a un rendez-vous avec Valérie.
- Oui, il est à l'heure au rendez-vous (Non... si on pense au rendez-vous avec Sylvie).
- Non, Valérie n'est pas à Paris.
- Si, elle aime Roland.

EX. 6, P. 46

Deux scènes d'imitation et de transposition du dialogue.

1. Un couple reconnaît une jeune femme assise au café, à la table à côté.
« Regarde la fille blonde ! Ce n'est pas Martine (ou une actrice célèbre) ?
— Mais non, Martine a les cheveux courts ... »
2. Une femme reconnaît un homme qui passe.
« Regarde, ce n'est pas le professeur X ...? »

OBJECTIFS

Vocabulaire	Grammaire
• *une chanson - une fête - un défilé - un feu d'artifice - un bal le temps* (avoir le temps) • les instruments de musique (*le piano - le violon - la guitare,* etc.) • *nouveau* (nouvelle) *- discret* • *dire - étudier - écrire - composer* (de la musique) - • *bon appétit* • *demain - aujourd'hui*	• expression utilisant le verbe *avoir* : avoir 20 ans - avoir le temps • conjugaison des verbes : les trois personnes du pluriel
Phonétique	Communication
• les liaisons	• décrire une personne • souhaiter « bon appétit »

Civilisation

- Le 14 juillet : fête nationale en France.
- Le tutoiement et le vouvoiement.

DIALOGUE ET DOCUMENTS

— *Bon appétit* : formule rituelle employée avant les repas, soit pour quelqu'un qui s'apprête à aller dîner ou déjeuner, soit à table au moment de se mettre à manger.
Faire trouver l'équivalent en langue maternelle.
— *Avoir le temps (de)* : donner des exemples : « Je n'ai pas le temps de finir l'exercice - je commence à travailler à ... - j'ai le temps de lire le journal, etc. ».
Passage du *vous* au *tu* : c'est Valérie qui le propose. Par là elle établit avec Roland une relation amicale sans ambiguïté.
Commenter la remarque ironique et chargée de sous-entendu : « Je ne suis pas un homme intéressant, moi ! ».

L'affiche du 14 Juillet.
Le 14 juillet est la fête nationale en France. On y commémore deux journées importantes de la Révolution : la prise de la Bastille (14 juillet 1789) et la fête de la Fédération (14 juillet 1790), qui a été une manifestation de réconciliation nationale. Défilés militaires - feux d'artifice - bals populaires.

L'article de Valérie

Présenter la rubrique *l'âge* de la partie « vocabulaire et grammaire ».

Chercher dans l'article : a) ce que l'on sait déjà de Roland Brunot ; b) ce que l'on apprend.

Présenter les mots nouveaux :
- *nouvelle/nouveau* : opposer à *vieux* et à *ancien* d'une part, à *neuf/neuve* d'autre part ;
- les instruments de musique ;
- *écrire - composer ;*
- *discret - avec passion* (traduire).

Berlioz *(1803-1869) : compositeur français, auteur de la* Symphonie fantastique, *d'un* Requiem *et de plusieurs opéras. C'est le plus grand représentant du romantisme musical français.*

VOCABULAIRE ET GRAMMAIRE

Quel (adjectif interrogatif) : à pratiquer en posant des questions. « Quel personnage de l'histoire préférez-vous ? - Quels disques aimez-vous ? etc. »

Les nombres de 70 à un million. Leur apprentissage doit être réparti en plusieurs séances.

Faire lire et produire :
- des dates : dates de naissance, événements historiques, etc. ;
- des numéros de voiture ;
- des numéros de téléphone ou de code postal.

ACTIVITÉS

Phonétique et Mécanismes

- Les liaisons

Remarquer que d → [t]   f → [v]   s → [z].
- Exercice de conjugaison : *formes de la 3ème personne du pluriel.*

Transcription

Phonétique
Répétez !

un petit homme (...)	il a neuf ans (...)	les enfants (...)
un petit appartement (...)	elle a douze ans (...)	les amis (...)
un grand opéra (...)	ils ont trois enfants (...)	des images (...)
un grand ami (...)	il a trois amis très amusants (...)	des appartements (...)

Mécanismes
Écoutez !

Paul sait danser. Marie sait danser.
Ils savent danser.
Annie ne sait pas lire. Nicole ne sait pas lire.
Elles ne savent pas lire.

À vous !
Paul sait danser. Marie sait danser (...)
Ils savent danser.
Annie ne sait pas lire. Nicole ne sait pas lire (...)
Elles ne savent pas lire.

Nicolas écrit des chansons. Roland écrit des chansons (...)
Ils écrivent des chansons.
Valérie connaît Paris. Sylvie connaît Paris (...)
Elles connaissent Paris.
Sylvie part sur la Côte d'Azur. Roland part sur la Côte d'Azur (...)
Ils partent sur la Côte d'Azur.
Sylvie est sympathique. Valérie est sympathique (...)
Elles sont sympathiques.
Valérie déjeune au restaurant. Nicolas déjeune au restaurant (...)
Ils déjeunent au restaurant.
Valérie a beaucoup d'amis. Nicolas a beaucoup d'amis (...)
Ils ont beaucoup d'amis.

Exercices

EX. 7, P. 46

Activité de révision du vocabulaire et de conjugaison (3ᵉ personne du pluriel).
On peut utiliser les verbes *aller* (à l'école, au cinéma), *faire* (du sport, ...), *travailler*, *partir* (à la campagne), *lire*, *écrire*, *apprendre*, *étudier*, etc.

EX. 8, P. 47

Présenter le mot *naissance* et la forme verbale *il/elle est né(e)*, avant de faire l'exercice.

EX. 9, P. 47

a) Activité de compréhension écrite.
Identifier le type d'annonce (mariage).
Lecture individuelle et présentation orale d'Anne-Laure et de Stéphane.
Remarquer le style télégraphique (faire noter la suppression du verbe être et celle des pronoms sujets, expliciter les abréviations : sympa = sympathique, j.f. = jeune fille).
Faire réagir les étudiants sur l'annonce d'Anne-Laure et les étudiantes sur celle de Stéphane.
b) Activité d'expression écrite.
Deux possibilités :
— chaque étudiant se présente dans un texte d'annonce ;
— chaque étudiant rédige un texte d'annonce pour mariage, mais sous un nom d'emprunt qui doit être par ailleurs différent des autres noms de la classe. On rassemble toutes les annonces et on les affiche au tableau.
Chaque étudiant(e) choisit alors l'annonce qui correspond à ses goûts. (La suite de l'activité est laissée à l'initiative des étudiants.)

EX. 10, P. 47

Exercice d'écoute à faire avec la cassette.
Il s'agit d'identifier les personnages d'après leur description.

• *Michel* est grand. Il a 20 ans. Il a une barbe. Il joue de la guitare.	• *Anne* est une femme petite et grosse. Elle a 45 ans.
• *Pierre* est un jeune garçon. Il a 13 ans. Il joue du violon.	• *Denis* a 40 ans. Il est grand et blond.
• *Thérèse* est une vieille dame gentille et souriante. Elle parle à Michel.	• *Sophie* a 12 ans. Elle va à l'école.

Solutions :

A	= Thérèse	D	= Anne
B	= Michel	E	= Pierre
C	= Denis	F	= Sophie.

BILAN

CORRIGÉ DES EXERCICES

Vous savez
1. ... saluer
9 h 15 - Bonjour Madame; 22 h - Bonne nuit;
20 h - Bonsoir; 10 h - Au revoir, Pierre;
23 h - Bonne nuit.

2. ... identifier les personnes et les choses
Qui est-ce? C'est Valérie.
Qu'est-ce que c'est? C'est l'affiche du 14 juillet.
Qu'est-ce que c'est? C'est le pendentif de Nicolas (le cadeau de la spectatrice).
Qui est-ce? C'est ...
Qu'est-ce que c'est? C'est l'agenda de Sylvie.

3. ... utiliser les articles
Il y a un *bon* film au cinéma Rex. Vous venez?
— Non, je n'aime pas *le* cinéma. Je préfère *le* théâtre.
Vous connaissez *une* bonne secrétaire?
— Oui, *la* secrétaire de M. Legrand. Elle est très intelligente.
Dans le quartier Latin il y a *des* cinémas. Nicolas Legrand va voir *un* film de Truffaut.
Je vais à *la* Comédie-Française. On joue «Les Femmes savantes».
C'est *une* pièce de Molière.

4. ... dire l'heure
À neuf heures, Monsieur X arrive au bureau.
À midi et demie, il déjeune avec une amie.
À cinq heures, il sort du bureau (il part).
À cinq heures et quart, il va au cinéma avec un ami.
À sept heures moins dix, il rentre chez lui.

5. ... faire des projets
Il veut voir un film. Il veut un billet.
« Je voudrais aller en Italie, visiter Rome, voir le Colisée. »
« Je préfère rester à Paris. Je voudrais faire du tennis et de la natation (aller à la piscine), aller au théâtre. »

6. ... inviter, accepter, refuser
Exemple de dialogue possible.
Marie : On va faire du ping-pong dimanche?
Michel : Je suis un peu fatigué. Je préfère aller au théâtre.
Anne : Moi, je suis d'accord pour le théâtre.

Marie : Bon, alors, voici le programme. À 10 h, Anne et moi, on fait du ping-pong. À 3 h on va au théâtre. Puis, on va dîner au restaurant.
Anne : D'accord! C'est un programme formidable.
Michel : D'accord pour aller au théâtre. Mais après, je rentre chez moi.

7. ... utiliser les prépositions
Le week-end, ils adorent aller à la campagne.
Est-ce que vous voulez venir au théâtre?
Il est chez le médecin.
Elle habite en France, à Marseille.
L'appartement de Nicolas est grand.
C'est le stylo du médecin.
Lisez le journal des étudiants!
La voiture de la chanteuse est belle.
C'est le livre de l'ami de Pierre.

8. ... dire les goûts et les préférences
• Elle adore la télévision. Elle aime un peu le cinéma. Elle déteste l'opéra.
• Il aime beaucoup faire du ski. Il n'aime pas du tout le tennis. Il n'aime pas le football.
• Il adore la musique classique. Il aime bien la chanson. Il déteste le jazz. Il aime beaucoup la mer.

9. ... répondre
Non, Roland Brunot n'habite pas boulevard Saint-Michel.
Si, Nicolas Legrand a des amis.
Non, il n'a pas de concert le 14 juillet.
Non, il n'aime pas beaucoup danser.
Non, il n'y a pas de concerts de jazz à l'Opéra.

10. ... conjuguer
Nous connaissons bien Nicolas Legrand.
Elles ont vingt ans aujourd'hui.
Le professeur sort de la classe.
Vous finissez de travailler à 6 heures.
Je veux (peux) aller au cinéma avec vous.

11. ... décrire les personnages
La chanteuse n'est pas blonde. Elle est brune. Elle n'est pas mince. Elle n'est pas très souriante.

L'architecte n'est pas jeune.
Le médecin n'est pas vieux. Il n'est pas gros.
La secrétaire n'est pas blonde.
L'écrivain n'est pas mince.

Vous habitez à Paris ?
Qu'est-ce que vous faites ?
Qu'est-ce que vous aimez faire ?
Vous avez des amis ? Vous connaissez ... ?

12. ... interroger
Comment vous appelez-vous ?
Quel âge avez-vous ?
Vous êtes Français ?

13. ... donner des ordres et des conseils
Ne regarde pas la télévision ! Ne vas pas au cinéma !
Travaille ! Ne rêve pas ! Écoute ! Écris !

LIEUX DE PARIS

● Le Musée d'Orsay.
Construit dans les bâtiments de l'ancienne gare d'Orsay, ce musée, ouvert au public en 1986, abrite essentiellement la production artistique française de la fin du XIXe siècle et du début du XXe. On y trouvera notamment les œuvres des impressionnistes (Renoir, Monet, etc.).

● La place de la Sorbonne.
En 1253, un chanoine de Paris, Robert de Sorbon, fonde un collège où des étudiants pauvres, se destinant à la théologie, allaient recevoir asile et enseignement. Telle est l'origine de la plus ancienne université de France : La Sorbonne.
Les bâtiments actuels datent du XVIIe et du XIXe siècles.
Sur la photo de la page 52, on aperçoit la façade de l'Église de la Sorbonne.
Sur la place de la Sorbonne s'ouvrent des librairies et des cafés (au premier plan une terrasse de café). On ne peut guère faire 100 mètres à Paris sans rencontrer un café (ou un bar ou une brasserie). On peut y consommer debout au bar, ou assis dans la salle ou à la terrasse des boissons alcoolisées ou non. On peut aussi y consommer des « snacks » (sandwich, hot-dog, croque-monsieur). Le service est compris dans le prix indiqué.

● La place du Tertre.
Petite place située à côté de la Basilique du Sacré-Cœur à Montmartre. Avec ses maisons anciennes d'un ou deux étages, ses arbres, ses lampadaires, elle évoque un peu le charme du passé. Le mot tertre *signifie petite colline ou butte. Cette place se trouve, en effet, au sommet de la Butte Montmartre. On y accède par de petites rues tortueuses pavées, ou par des rues en escaliers.*
L'aspect campagnard de Montmartre a beaucoup inspiré les peintres et les poètes du début du siècle (Picasso, Van Dongen, Braque, Utrillo, Apollinaire). Mais aujourd'hui, les artistes qui peignent en plein air sur la place du Tertre ne proposent aux touristes que des œuvres de bien mauvaise qualité.
La place est entourée de cafés-cabarets (on distingue Au Cadet de Gascogne et Au Clairon des Chasseurs). Ils proposent une animation typiquement montmartoise : on peut y écouter les chansonniers (amuseurs qui raillent les personnalités du monde politique) et y entendre de vieilles chansons « réalistes » de la première moitié du siècle.

● Le jardin des Tuileries *(voir aussi p. 39).*
Le jardin des Tuileries est une aire de jeux pour les enfants (qui font naviguer des modèles réduits de bateaux sur l'eau des bassins), un lieu de rencontre et de rêverie pour les jeunes et les étudiants, un refuge où les employés des bureaux du quartier peuvent se reposer à l'heure du déjeuner, un lieu de distraction pour les vieux.
La ville de Paris possède de nombreux espaces verts : deux grands bois (le Bois de Boulogne et le Bois de Vincennes) à l'ouest et à l'est, des parcs ou des jardins (Jardin des Plantes - Parc Monceau) et de petits squares disséminés dans les quartiers, véritables îlots de verdure et de tranquillité.
On remarquera aussi sur la photo :
→ une aile du musée du Louvre.
Avant d'être un des plus riches musées du monde, le Louvre a été la résidence des rois de France depuis le début du XIIIe siècle. Les bâtiments actuels portent la marque de styles divers (notamment la Renaissance et le Classicisme).
→ l'Arc du Carroussel. Arc de Triomphe érigé sous Napoléon Ier et s'inspirant de l'arc de Constantin à Rome. Il est décoré de bas-reliefs évoquant les batailles et les traités de l'Empire.

Activités
● Commenter les images.
● Situer sur le plan tous les lieux de Paris qui ont été mentionnés (dans les histoires, les activités ou le bilan).
● Faire les jeux de rôles proposés.

LEÇON 1

UNITÉ 2

OBJECTIFS

Vocabulaire	Grammaire
• vocabulaire sur le logement (voir p. 58) • *une autoroute - un aéroport international - une voiture - un avion - le bruit - une région - le soir* • *insupportable* • *passer* (verbe de déplacement) • *où - au-dessus (de) - au-dessous (de) loin (de) - près (de)*	• conjugaison des verbes *acheter - vendre - louer* • construction de ces verbes • les adjectifs numéraux ordinaux : *premier, deuxième*, etc.
Phonétique	Communication
• opposition [œ] - [ø]	• décrire un logement • situer. S'informer sur un lieu

Civilisation
• La notion de banlieue et de région. • Un couple de Français à la retraite.

DIALOGUE ET DOCUMENTS

Il est recommandé de commencer par l'explication du texte narratif et des petites annonces immobilières.
Dialogue
● Bien faire comprendre que l'annonce dont parle M. Martin est celle qu'on vient d'étudier.
● Présenter *où - près* (de) - *loin* (de) en situation de classe (les étudiants ont déjà rencontré quelques prépositions et adverbes de lieu (*devant - dans - sur - au-dessus de*).
● Mettre en valeur l'enthousiasme de M. Martin et les réticences de sa femme.

Le texte narratif
Les mots nouveaux peuvent s'expliquer grâce à l'image et au bruitage de la cassette.
Il est important de bien comprendre la situation de départ : l'environnement bruyant de l'immeuble des Martin est insupportable.

> *L'aéroport d'Orly est situé au sud de Paris en pleine banlieue et à quelques kilomètres seulement de la capitale. Il est destiné au trafic intérieur, aux pays du sud de l'Europe et de l'Afrique du Nord. Paris possède un deuxième aéroport, Roissy-Charles-de-Gaulle.*

Les petites annonces immobilières
Étudier les deux annonces complètes (à vendre et à louer) en repérant les oppositions :

à vendre / à louer - maison / appartement - ancien / moderne.
Présenter le vocabulaire sur le logement (p. 58).
Situer la Bourgogne et Dijon.

▨ VOCABULAIRE ET GRAMMAIRE

Le logement
Cette page est à considérer comme un répertoire qui servira à la plupart des activités de la leçon. Pour le présenter, deux possibilités :
a) l'enseignant organise une conversation dirigée au cours de laquelle il intègre progressivement les mots nouveaux ;
b) la classe est partagée en petits groupes, chacun prenant en charge la présentation d'une des rubriques de cette page. La tâche du groupe consiste à chercher le sens des mots dans le dictionnaire et à préparer une présentation de ces mots par des exemples, des dessins, des mimes, etc.

Les adjectifs numéraux ordinaux
Les présenter à partir de la notion d'étage (premier étage, deuxième, etc.).
Mettre en valeur la formation des mots (*adjectif numéral cardinal + ième*) en signalant les modifications de la consonne finale (neuf + *ième* → neuvième).
Noter la nuance entre deuxième (lorsqu'il y a un troisième) et second (lorsque le second est aussi le dernier). Mais l'usage est sur ce point relativement flou.
Réemployer ces adjectifs en travaillant sur des classements (classements d'équipes sportives, des jours de la semaine, des mois de l'année). Voir l'exercice 3, p. 60.

▨ ACTIVITÉS

Phonétique et Mécanismes

- L'opposition entre [œ] et [∅]. Remarquer que l'orthographe peut être identique (eu).
- Transformation négative avec *pas de (pas d')*.

<table>
<tr><td rowspan="2">Transcription</td><td>

Phonétique
Répétez !
Je veux arriver à l'heure (...)
Il ne peut pas porter ce meuble (...)
Les deux jeunes veulent déjeuner (...)
Monsieur Martin habite dans cet immeuble (...)
Il y a deux spectateurs (...)
Il est ennuyeux. Elle est ennuyeuse (...)

Mécanismes
Écoutez !
Il y a du bruit à Broussac ? Non, il n'y a pas de bruit.
Il y a un aéroport à Broussac ? Non, il n'y a pas d'aéroport.

</td><td>

À vous !
Il y a du bruit à Broussac ? (...)
Non, il n'y a pas de bruit.
Il y a un aéroport à Broussac ? (...)
Non, il n'y a pas d'aéroport.
Il y a une autoroute à Broussac ? (...)
Non, il n'y a pas d'autoroute.
Nicole a une maison ? (...)
Non, elle n'a pas de maison.
Vous avez un avion ? (...)
Non, je n'ai pas d'avion.
Vous voulez un dictionnaire ? (...)
Non, je ne veux pas de dictionnaire.
Vous voulez écouter des chansons ? (...)
Non, je ne veux pas écouter de chansons.
Il y a une maison à vendre ? (...)
Non, il n'y a pas de maison à vendre.

</td></tr>
</table>

Exercices

EX. 1, P. 60
- ... Je vais *acheter* une guitare.
- Le propriétaire de l'immeuble *loue* ...
- ..., ils *vendent* des disques anciens.

- ... nous *louons* une villa à Beaulieu.
- ... Est-ce qu'il y a des appartements à *louer* / à *vendre* ?

EX. 2, P. 60

Les 1re, 3e et 5e questions se réfèrent à l'histoire.
Les 2e, 4e et 6e demandent une réponse personnelle.

EX. 3, P. 60

Simple réemploi des adjectifs ordinaux.

EX. 4, P. 60

Les étudiants préparent une présentation orale de chaque annonce.
Cette activité peut déboucher sur un jeu de rôles. Une personne cherche un logement à louer ou à acheter. Elle téléphone à une agence.

EX. 5, P. 60

L'analyse du contenu des bulles doit conduire à la rédaction de deux petites annonces (imiter le style télégraphique des annonces étudiées dans l'exercice précédent).
Autre activité possible : chaque étudiant rédige une petite annonce immobilière sur une feuille de dimension standard. Les annonces sont ensuite classées (en fonction du type de logement) et affichées.
Dans un deuxième temps, les étudiants consultent le tableau d'affichage, choisissent un logement et justifient leur choix.

OBJECTIFS

Vocabulaire	Grammaire
• le vocabulaire de la localisation (p. 59) • le vocabulaire du logement (suite)	• les adjectifs démonstratifs • prépositions et adverbes de lieu • *Être à* + distance
Phonétique	*Communication*
• le son [ɛ̃]	• situer dans l'espace • montrer - désigner • exprimer les distances • caractériser un logement

Civilisation
• L'habitat en France

DIALOGUE (B) ET DOCUMENTS (C)

Il est recommandé de commencer par la rubrique « Vocabulaire et grammaire ».
● Observation de la première image de la séquence B. Faire découvrir la situation : M. Lavigne montre la maison à vendre à M. et Mme Martin.
En s'appuyant sur l'image de l'extérieur de la maison et sur le plan C, imaginer le discours descriptif de M. Lavigne ainsi que les questions que peuvent poser M. et Mme Martin.
M. Lavigne décrit la maison et son environnement. M. et Mme Martin demandent des précisions.
● Écoute du dialogue. La compréhension du dialogue sera d'autant plus facile que les activités précédentes auront été approfondies.
● Procéder à une explication par fragments. On mettra particulièrement en valeur des éléments importants pour la suite de l'histoire : l'isolement de la maison, les craintes de Mme Lavigne, la présence d'une vieille grange derrière la maison.

VOCABULAIRE ET GRAMMAIRE

Localiser - montrer
Présenter et assurer la compréhension de ce vocabulaire :
- par l'observation des dessins de la p. 59 ;
- par des manipulations en classe (placer un objet selon des directives) ;
- par des dictées d'images (« dessinez une maison de deux étages, à droite de la maison, dessinez un arbre, à gauche ... ».

Les adjectifs démonstratifs
Faire comprendre le sens « démonstratif » de ces adjectifs par l'observation du dessin de la p. 59 et par des exemples en situation de classe.
Présenter le tableau des démonstratifs.

ACTIVITÉS

Phonétique et Mécanismes

- Le son [$\tilde{\varepsilon}$] **opposé à** [$\tilde{\alpha}$] et à [ε].
- Exercice de substitution : *les prépositions et adverbes de lieu.*

Transcription

Phonétique
Répétez !
Il veut acheter l'appartement demain ? (...)
Monsieur Martin est un homme sympathique et inté-
ressant (...)
C'est un grand médecin américain ? (...)
Madame Martin est dans le jardin (...)
Il y a une belle salle de bain (...)
Il vend vingt livres (...)

Mécanismes
Écoutez !
Annie est à côté de Nicolas / devant
Annie est devant Nicolas.

À vous !
Annie est à côté de Nicolas / devant (...)
Annie est devant Nicolas / derrière (...)
Annie est derrière Nicolas / à gauche (...)
Annie est à gauche de Nicolas / loin (...)
Annie est loin de Nicolas.

Pierre habite à côté du cinéma / devant (...)
Pierre habite devant le cinéma / en face (...)
Pierre habite en face du cinéma / près (...)
Pierre habite près du cinéma.

Exercices

EX. 6, P. 61

- ... *cette* pièce de théâtre.
- ... *cet* ami.
- ... *ce* garçon ... *cet* immeuble ... *ce* café.

- ... *ces* livres.
- ... *ces* enfants.

EX. 7, P. 61

Les étudiants sont en présence de trois types de logement. Ils doivent choisir celui où ils préféreraient habiter, justifier leur choix et dire pourquoi ils ont écarté les deux autres.
(Ce travail peut se faire individuellement ou en groupe. Dans ce dernier cas, les étudiants se regroupent en fonction de leur choix et construisent ensemble une argumentation.)
On pourra également donner des informations sur chaque photo.

Une ferme en Beauce. *La Beauce est un grand plateau au sud-ouest de Paris. Elle présente un paysage très monotone d'immenses champs de céréales parsemés de grandes fermes très éloignées les unes des autres.*

Les tours de la Défense. *Un paysage urbain très futuriste à l'ouest de Paris*

La place de la Libération à Dijon. *Une belle place en hémicycle entourée de bâtiments du XVIIe siècle. À gauche, le Palais des ducs de Bourgogne.*

EX. 8, P. 62

Exercice de réemploi des prépositions et adverbes de lieu et du vocabulaire des meubles.

Il y a des livres sur la table, sur les chaises, sous la table, sous l'armoire, derrière l'armoire, dans l'armoire, au-dessus du fauteuil, etc.

EX. 9, P. 62

Précisez que l'image représente ce que Marie voit de sa fenêtre.

L'exercice peut être oral ou écrit.

« Devant l'immeuble de Marie, il y a une place. Au milieu de la place, il y a un arbre. En face, il y a un bâtiment d'un étage, avec au rez-de-chaussée ... »

Prolongement possible : les étudiants décrivent ce qu'ils voient de leur fenêtre.

OBJECTIFS

Vocabulaire	Grammaire
• l'ensemble du vocabulaire acquis en A et en B	• même contenu que A et B

Phonétique	Communication
• le son [ɥi]	• décrire un logement

Civilisation
• Intérieurs de logements

Le document C ayant déjà été présenté en relation avec le dialogue B, cette séquence comportera essentiellement des activités de brassage des acquisitions. On pourra au début faire le récit des épisodes A et B.

ACTIVITÉS

Phonétique et Mécanismes

- La semi-consonne [ɥ] et le son [ɥ i].
- Exercice de transformation : *les adjectifs démonstratifs, les prépositions et les adverbes de lieu.*

Transcription

Phonétique
Répétez !
Je suis dans la cuisine (...)
La nuit, il y a du bruit dans la rue (...)
Il est huit heures (...)
Elle a vingt-huit ans (...)
Je suis la huitième (...)
Je pars avec lui au jardin des Tuileries (...)

Mécanismes
Écoutez !
J'habite à côté du cinéma.
Regardez ce cinéma ! J'habite à côté.

À vous !
J'habite à côté du cinéma (...)
Regardez ce cinéma ! J'habite à côté.

La maison est à gauche du jardin (...)
Regardez ce jardin ! La maison est à gauche.
M. Martin habite en face de l'aéroport (...)
Regardez cet aéroport ! M. Martin habite en face.
La grange de Monsieur Lavigne est derrière la maison (...)
Regardez cette maison ! La grange de Monsieur Lavigne est derrière.
Jacques travaille à côté du musée (...)
Regardez ce musée ! Jacques travaille à côté.
La maison de M. Martin est derrière les arbres (...)
Regardez ces arbres ! La maison de M. Martin est derrière.
La voiture de Nicolas est devant le théâtre (...)
Regardez ce théâtre ! La voiture de Nicolas est devant.

Exercices

EX. 10, P. 63

Exercice de compréhension écrite. Il s'agit de prélever dans le texte les informations nécessaires à la réalisation du plan de la maison.

La description laisse certains éléments à l'initiative du dessinateur (emplacement d'un escalier, des fenêtres, etc.). On pourra donc comparer les dessins.

EX. 11, P. 63

Exercice d'écoute à faire avec la cassette.
Trois personnes décrivent leur logement.

Un jeune étudiant :
« J'habite à côté du boulevard Saint-Michel. Dans un immeuble ancien au sixième étage. C'est calme. Au sixième étage, on n'entend pas le bruit de la rue. C'est clair mais c'est petit.
Il y a deux pièces. Un salon avec un coin cuisine et une chambre.
Mais, il n'y a pas d'ascenseur. Et ça c'est un gros problème ! »

Une dame :
« Mon appartement, il est dans le centre de Lyon. Il est très bien. Il est dans un immeuble moderne et de la fenêtre de ma chambre, je vois le parc. C'est grand, j'ai une cuisine, un salon, une salle à manger et deux chambres. Mais il y a un défaut : les trois pièces du côté de la rue sont sombres et bruyantes. »

Une jeune fille :
« Moi, j'habite dans une villa à un kilomètre d'un village de Normandie. La villa a deux étages. Au rez-de-chaussée, il y a un garage. Au premier, il y a une cuisine, un grand salon et trois chambres. Et nous avons un jardin. C'est bien agréable, et l'endroit est très tranquille. Mais la maison est un peu isolée. »

Présenter le tableau de la p. 63 et le faire remplir au fur et à mesure de l'écoute.

	1	2	3
Type de logement	appartement dans immeuble ancien (6ᵉ étage)	appartement dans immeuble moderne	villa
Situation	centre de Paris	centre de Lyon	près d'un village en Normandie
Nombre de pièces	2	5	5
Type de pièces	salon / coin cuisine chambre	cuisine - salon - salle à manger 2 chambres	cuisine salon 3 chambres
Qualités	calme - clair	grand près d'un parc	jardin - garage tranquille
Défauts	petit pas d'ascenseur	3 pièces sombres et bruyantes	isolé

EX. 12, p. 63

Même type d'activité que pour l'ex. 7, p. 61, mais il s'agit cette fois de décrire des intérieurs.
On observera :
- *une salle à manger dans un appartement bourgeois.* Les meubles sont assez jolis mais sans style particulier ;
- *un salon moderne* avec une cheminée et des meubles « design » ;
- *une cuisine auvergnate* avec une cheminée et un beau vaisselier.

LEÇON 2

UNITÉ 2

OBJECTIFS

Vocabulaire	*Grammaire*
● le vocabulaire des repas (voir p. 66)	● conjugaison des verbes *choisir, prendre, boire* ● les articles partitifs : *du, de la, de l', des*
Phonétique	*Communication*
● les sons [ʃ] et [z]	● lire un menu. Commander un repas ● exprimer ses goûts et ses préférences. Choisir

Civilisation

● Repas, restaurants, plats et cuisine régionale en France.

DIALOGUE ET DOCUMENTS

Il est recommandé de commencer par la rubrique « Vocabulaire et grammaire ».
Rappel des événements antérieurs et récit à partir des indications horaires et des images de la page 64.
● Présentation et compréhension du menu. C'est là le menu typique d'un petit restaurant bon marché.
Expliquer : *le plat du jour.*
● Écoute du dialogue et compréhension globale.
Étude de la rubrique « Au restaurant » p. 66.
● Compréhension du dialogue. On ne devrait rencontrer que peu de difficultés si l'étude du vocabulaire a
été faite (attention : M. et Mme Martin choisissent le plat principal avant l'entrée).
● Prolonger le dialogue (appel du garçon - commande du dessert - demande de l'addition).

Les restaurants en France.
La France possède une tradition culinaire qui remonte au XVIe siècle. Tout Français est un peu gastronome et même ceux qui sont convaincus du bien-fondé d'une alimentation diététique rêvent de concilier équilibre nutritif et raffinement du goût. Les restaurants sont très nombreux (on en compte 17 000 à Paris). Les meilleurs sont répertoriés dans des ouvrages spécialisés. On trouvera également des ouvrages qui présentent les restaurants les moins chers. D'un restaurant à l'autre, la qualité et les prix peuvent varier considérablement.
Notons enfin que pour un prix abordable (aux environs de 100 F), c'est en province que l'on trouvera plus facilement une vraie cuisine française. Par ailleurs, les Français sont de plus en plus attirés par les cuisines « étrangères » (les restaurants grecs, italiens, chinois, etc., sont très nombreux à Paris) et les jeunes par les « fast food » (restauration rapide).

VOCABULAIRE ET GRAMMAIRE

Présenter sous forme de conversation dirigée le vocabulaire de la p. 66.

Les repas.
Comparer les heures des repas en France et dans les autres pays.
Les repas de la journée.
Les heures mentionnées dans le livre sont purement indicatives et il convient de se méfier des idées reçues et des clichés. Voici quelques indications sur les tendances françaises en matière d'habitudes alimentaires.

Le petit déjeuner *(entre 7 h et 9 h). La tradition veut qu'il se compose de café au lait, de croissants et de toasts. Mais certains Français se contentent d'un café, d'autres prennent un petit déjeuner plus copieux (on consomme notamment de plus en plus de céréales). Mais il est vrai que d'une manière générale, les Français prennent un petit déjeuner léger et peu équilibré sur le plan nutritif.*

Le déjeuner *(entre midi et 14 h). La vie moderne a considérablement transformé les habitudes et on peut trouver tous les cas de figures depuis le sandwich rapidement avalé, jusqu'au repas complet (hors-d'œuvres - plat garni - fromage et dessert) du déjeuner d'affaires, du petit restaurant fréquenté par les ouvriers, du restaurant universitaire ou de la cantine des employés de bureau.*

Le dîner *(entre 19 h et 21 h). C'est sans doute le repas qui a le plus conservé son aspect traditionnel dans la mesure où c'est souvent le seul moment de la journée où toute la famille est réunie.*
Notons par ailleurs que si les Français sont toujours de gros consommateurs de viande, ils mangent de moins en moins de pain et boivent de moins en moins de vin (30 % seulement des Français boivent du vin quotidiennement).

Choisissez !
Exploiter les connaissances de certains étudiants et les éventuelles transparences avec la langue maternelle. Traduire les autres mots.
Goûtez !
Présenter les qualités avec des exemples et faire réagir les étudiants sur leurs goûts à propos de plats particuliers.

Les articles partitifs
● Observer la bande dessinée du haut de la p. 67 et conceptualiser le sens des déterminants :
un café : le client veut une tasse de café, c'est-à-dire un des « produits » proposés par le commerçant. De la même manière, on dira « je voudrais un steack, un bœuf bourguignon (un plat de bœuf bourguignon), etc. » ;
le café : on considère ici le café comme une chose abstraite (une sorte de concept) faisant partie de la catégorie des boissons. On dira ainsi : le café n'est pas bon pour la santé ;
du café : le café est considéré ici sous l'angle de la quantité.
Le français peut avoir deux visions de la quantité :
— la vision continue (ou non nombrable) : le pain - le sable - l'eau ;
— la vision discontinue (ou nombrable) : un livre - une tasse de café, etc.
La vision d'une quantité discontinue singulière se détermine par l'article indéfini (un livre).
La vision d'une quantité continue singulière se détermine par l'article partitif (du pain, de la bière).
Lorsque la quantité est plurielle, elle est nécessairement discontinue. On utilise donc l'article *des* dans tous les cas (des cafés - des livres - des eaux).
● Comparer avec le système de la langue maternelle.
Noter que le choix du déterminant ne dépend pas de l'objet mais de la vision qu'on en a.

ACTIVITÉS

Phonétique et Mécanismes

● Opposition entre la consonne sourde [ʃ] et la sonore [ʒ].
Lorsque la sonore est prononcée comme la sourde correspondante, on travaillera en intonation descendante dans un environnement de voyelles graves : [a] - [ɔ] - [ɑ̃].
Lorsque la sourde est prononcée comme la sonore correspondante, on travaillera en intonation montante (interrogation - exclamation) dans un environnement de consonnes aiguës : [e] - [ɛ] - [i].
● Exercice de transformation : *les partitifs.*

<table>
<tr><td rowspan="2">*Transcription*</td><td>

Phonétique
Répétez !
Il a quel âge ? (...)
Il est riche ? (...)
Jean va chez Jacques. (...)
Vous cherchez le jardin des Tuileries ? (...)
Qu'est-ce que vous choisissez ? Du fromage ou une orange ? (...)
</td><td>

La chambre est au rez-de-chaussée. (...)

Mécanismes
Écoutez !
Il aime le poulet ⟶ Il mange du poulet.
Elle aime la bière ⟶ Elle boit de la bière.
</td></tr>
</table>

À vous !

Il aime le poulet (...)	Il mange du poulet.
Nous aimons les fruits (...)	Nous mangeons des fruits.
Elles aiment la glace (...)	Elles mangent de la glace.
J'aime les œufs (...)	Je mange des œufs.
Il aime le riz (...)	Il mange du riz.
Elle aime la bière (...)	Elle boit de la bière.
J'aime l'eau (...)	Je bois de l'eau.
Nous aimons les jus de fruits (...)	Nous buvons des jus de fruits.
Il aime le thé (...)	Il boit du thé.
Elles aiment le café (...)	Elles boivent du café.

Exercices

EX. 1, P. 68
Réemploi du vocabulaire de la nourriture. Conceptualisation des articles définis et partitifs.
« Sur la table, il y a un poulet, du lait, des champignons, de la viande / un steack frites, etc. »

EX. 2, P. 68

- ... *du* bœuf aux carottes ou *du* poulet au riz.
  ... je n'aime pas beaucoup *le* poulet.
  Je voudrais *du* bœuf.
- ... *de la* bière.
  ... *le* jus d'orange.

- ... *une* bière et *un* café.
- ... *une / de la* salade de pommes de terre, *un/du* lapin et *des* frites.

EX. 3, P. 68
Chaque étudiant rédige le menu de son choix. Fournir le vocabulaire nécessaire.
Comparer les menus.

EX. 4, P. 68
Jeu de rôles à préparer par groupes de cinq.

EX. 5, P. 69
Assurer la compréhension de la liste de mots.
Faire deviner les produits qui entrent dans la composition de ces plats.
Présenter ces spécialités régionales françaises en faisant appel à l'expérience gastronomique des étudiants.

Le cassoulet.
Spécialité du Sud-Ouest de la France, région réputée pour sa gastronomie et ses prix raisonnables, surtout à la campagne. C'est un ragoût de morceaux d'oie, de canard et de saucisses préparé avec des haricots blancs.

La fondue savoyarde.
Encore un plat unique, souvent plat de fête entre copains car très économique. La fondue, une fois prête, est apportée dans un poêlon qu'on pose sur un réchaud au milieu de la table. En même temps, on a rempli un gros saladier ou tout autre récipient de pain coupé en petits cubes. Chacun pique un cube de pain au bout d'une longue fourchette (fourchette à fondue) et le trempe dans le mélange de fromage fondu (d'où le nom de ce plat) et de vin blanc. Aux sports d'hiver, il est habituel d'aller manger une fondue au restaurant. Souvent, celui qui perd son morceau de pain dans le poêlon paie une bouteille de vin blanc. Les morceaux de pain tombent souvent...

Les tripes.
Plat à base d'intestins, d'estomac de bœuf et de pieds de bœuf ou de veau. Pour les préparer à la mode de Caen (Normandie), on y ajoute des oignons, des carottes, des poireaux, de l'ail et du poivre. On fait cuire le tout dans du cidre additionné de Calvados.

La bouillabaisse.
Plat provençal, plus spécialement marseillais. C'est une soupe faite avec un assortiment de poissons, de moules et de crabes (parfois de langoustes) ainsi que quelques pommes de terre. On la sert avec une sorte de sauce mayonnaise très relevée contenant de l'ail et une sauce épicée qu'on nomme la « rouille ». La bouillabaisse est un « plat unique », c'est-à-dire un repas complet, avec lequel on boit du vin blanc sec ou du rosé de Provence.

La choucroute.
Plat typiquement alsacien mais qu'on mange dans toute la France, essentiellement dans les brasseries, accompagné de vin blanc sec ou de bière. Il se compose de chou fermenté, de pommes de terre et d'un assortiment de charcuterie comprenant toujours des saucisses de Strasbourg (ou de Francfort) et du lard fumé. Selon les brasseries, la garniture varie considérablement, ainsi que le prix... La choucroute est plutôt un plat d'hiver.

Les escargots de Bourgogne.
Bien plus courant que les cuisses de grenouilles, ce plat est une entrée très appréciée des Français. L'escargot, bien lavé, est maintenu dans sa coquille (ou parfois dans de petits godets en grès), par un bouchon de beurre d'escargot (mélange de beurre, d'ail, de persil, d'échalote, de sel et de poivre). On dispose une douzaine ou une demi-douzaine d'escargots dans un plat spécial, on les passe au four et on sert très chaud. Lorsqu'on les déguste, on se sert d'une pince spéciale elle aussi qui immobilise fermement la coquille, et d'une fourchette à deux dents qu'on nomme fourchette à escargots.

OBJECTIFS

Vocabulaire	Grammaire
• le vocabulaire des repas (suite) • *un magasin - une serpe - un chaudron* être *au régime* *nettoyer*	• les pronoms toniques après une préposition (*moi, toi, lui/elle, nous, vous, eux/elles*) • les adjectifs démonstratifs déictiques temporels (*ce matin, cet après-midi, ...*) • *Moi/toi*, etc., *aussi/non plus*
Phonétique	Communication
• le son [wa]	• inviter - refuser une invitation - insister / argumenter

Civilisation

• La brocante.
• Les repas quotidiens à la campagne.

DIALOGUE ET DOCUMENTS

Texte narratif

M. et Mme Martin sont dans un magasin de brocante (le brocanteur vend de vieux objets parmi lesquels on peut quelquefois trouver une pièce ayant un intérêt esthétique. L'antiquaire vend des meubles et des objets de style et authentifiés).
L'achat du chaudron et de la serpe est important pour la suite de l'histoire.

• Observation de l'image et écoute du dialogue.
Après avoir vérifié la compréhension globale de la situation, on suivra le déroulement des répliques pour en expliquer les difficultés :
  • *être au régime*: donner des exemples de menu régime - imaginer les raisons pour lesquelles M. et Mme Martin sont au régime ;
    • *moi aussi / moi non plus*: à présenter en situation de classe ;
    • *cuisine*: les étudiants connaissent le sens « pièce de la maison ». Ce mot a ici le sens de préparation d'aliments.
Pour comprendre les réticences de Mme Martin, il faut savoir que les paysans français et, tout particulièrement, les Bourguignons, ont une solide réputation de gros mangeurs.
Dans le passé, les longues journées de travail dans les champs, l'effort physique constant qu'il fallait déployer exigeaient une nourriture abondante. Aujourd'hui ce n'est plus le cas, mais les habitudes alimentaires se sont conservées et se sont transformées en art de vivre.
Mme Martin qui est au régime craint de devoir faire face à un repas pantagruélique.
Mme Lavigne la rassure, ce sera « un petit repas tout simple ». On verra qu'il n'en sera rien. Il convient, en effet, de faire honneur aux invités.

VOCABULAIRE ET GRAMMAIRE

Le pronom objet indirect après une préposition
On partira de l'exemple donné p. 67 et de la phrase du dialogue « Vous venez dîner avec nous ce soir ? ».
Commenter le tableau.
Faire des exercices de substitution (on peut utiliser toutes les prépositions de lieu ainsi que *avec* et *pour*).
Faire l'ex. 7, p. 70.

Moi aussi / moi non plus / moi si / moi non
Conceptualiser l'emploi de ces formes :
a) *B est d'accord avec A.*
   La phrase de A est affirmative : *moi aussi.*
   La phrase de A est négative : *moi non plus.*
« Il aime le thé. Moi aussi.
Il n'aime pas le café. Moi non plus. »
b) *B n'est pas d'accord avec A.*
   La phrase de A est affirmative : *moi non.*
   La phrase de A est négative : *moi si.*
« Il aime le thé. Moi non.
Il n'aime pas le café. Moi si. »
Faire varier le pronom : *moi aussi - toi aussi - lui aussi,* etc.
Faire l'ex. 8, p. 67.

Le temps
Il s'agit ici d'opposer *le matin* (le matin, je pars à 8 h - le matin du 3 mars, je me suis levé très tôt) et *ce matin* (le matin du jour où l'on parle).

ACTIVITÉS

Phonétique et Mécanismes

- Le son [wa].
- Exercice de transformation négative : *les partitifs.*

Transcription	
Phonétique *Répétez !* C'est pour toi ou pour moi ? (...) Vouloir c'est pouvoir. (...) Ils sont trois avec moi. (...) Les toilettes sont dans le couloir. (...) Je ne vois pas la voiture de Monsieur Lenoir. (...) Il choisit du poisson et des petits pois. (...) *Mécanismes* *Écoutez !* Il prend du vin ? Non, il ne prend pas de vin. Vous voulez des pommes de terre ? Non, je ne veux pas de pommes de terre.	*À vous !* Il prend du vin ? (...) Non, il ne prend pas de vin. Vous buvez de la bière ? (...) Non, je ne bois pas de bière. Elle mange des fruits ? (...) Non, elle ne mange pas de fruits. Nous prenons du dessert ? (...) Non, nous ne prenons pas de dessert. Vous voulez des pommes de terre ? (...) Non, je ne veux pas de pommes de terre. Il veut des escargots ? (...) Non, il ne veut pas d'escargots.

Exercices

EX. 6, P. 70
Exercice d'écoute à faire avec la cassette.
M. Durand, Mme Durand et leur fils Patrick commandent un repas au restaurant.
Il s'agit de retrouver le menu choisi par chacun d'eux.

Le garçon : Bonjour Madame ! Bonjour Monsieur... Voici le menu.	Patrick : Oui, un steack haché avec beaucoup de pommes de terre frites.
M. Durand : Qu'est-ce que tu prends comme entrée ?	Le garçon : Très bien. Et comme boisson ?
Mme Durand : Une salade de tomates, et toi Patrick ?	M. Durand : Une carafe d'eau et une demi-bouteille de vin rouge.
Patrick : Moi aussi, je veux une salade de tomates.	Le garçon : Du bordeaux ? Du bourgogne ?
M. Durand (au garçon) : Voilà... Alors, 2 salades de tomates et un pâté de campagne.	M. Durand : Du bordeaux.
Le garçon : Et ensuite ?	Patrick : Et moi je voudrais un jus d'orange et un gâteau au chocolat.
Mme Durand : Je prendrai des côtelettes d'agneau avec des haricots verts.	M. Durand : Bon ... Pour le dessert un gâteau au chocolat pour lui, une tarte au citron pour moi. Et toi, tu prends un dessert ?
M. Durand : Pour moi un bœuf bourguignon. Et toi Patrick, qu'est-ce que tu veux ? Un steack haché ?	Mme Durand : Merci, non. Pas de dessert.

On fera remplir le tableau suivant, au fur et à mesure de l'écoute.

	entrée	plat principal	dessert	boisson
M. Durand	pâté de campagne	bœuf bourguignon	tarte au citron	eau et
Mme Durand	salade de tomates	côtelettes d'agneau - haricots verts	X	vin rouge (bordeaux)
Patrick	salade de tomates	steack haché - frites	gâteau au chocolat	jus d'orange

EX. 7, P. 70

Je vais au musée. Tu viens avec *nous*.
Nicole n'aime pas ce film. Je suis d'accord avec *elle*.
M. Durand arrive au bureau à 8 h. La secrétaire arrive après *lui.*
Nous arrivons bientôt. Ne partez pas sans *nous.*

Vous êtes sur la place de la Concorde. Devant *vous* il y a les Champs-Élysées, derrière *vous* il y a le jardin des Tuileries.
Ce soir, des amis viennent dîner chez *moi.* Je fais ce gâteau pour *eux.*

EX. 8, P. 70

Répondre par *moi aussi - moi non plus - moi si - moi non* en fonction de ses goûts personnels.
La mise en commun des réponses permettra de faire travailler les autres pronoms.

EX. 9, P. 70

Trois jeux de rôles à préparer en petits groupes.
  1. Un couple invite un autre couple à venir prendre le thé.
  2. Un homme qui a un certain embonpoint invite un couple à un banquet.
  3. Une jeune fille invite ses copains à un pique-nique.
Les dialogues seront intéressants si les personnes invitées opposent quelques réticences (elles sont au régime - elles sont fatiguées - elles sont occupées ce jour-là) et si les personnes qui invitent, insistent.

OBJECTIFS

Vocabulaire	*Grammaire*

● le vocabulaire des repas (suite)
● *un morceau* (de)
● *refuser*
	● l'expression de la quantité :
	  *quelques / un peu de - beaucoup de
	  encore*
	● *quel* (exclamatif)

Phonétique	*Communication*
● le son [ɲ]	● proposer - refuser - insister

Civilisation
● Les repas en France

DIALOGUE ET DOCUMENTS

● Faire imaginer un dialogue possible d'après l'image.
● Écoute et compréhension.
● Jouer le dialogue.

Les fromages français.
Le Général de Gaulle, voulant parler de l'extrême diversité des opinions politiques en France, disait paraît-il : « Comment voulez-vous gouverner un pays qui compte plus de 300 sortes de fromages ? ».
Les plus connus sont :
fromage de vache : le Camembert (Normandie), le Brie (région parisienne), le Gruyère (Savoie).
fromage de brebis : le Roquefort (Languedoc).
fromage de chèvre : le Chavignol (Berry).
Deux dictons français : « Il n'y a pas de vrai repas sans fromage » - « Un repas sans fromage, c'est comme un baiser sans moustache ».

VOCABULAIRE ET GRAMMAIRE

Un peu de / quelques / beaucoup de
Présenter ces mots à partir d'exemples concrets. (« Dans la bière, il y a un peu d'alcool, dans le whisky, il y a beaucoup d'alcool. »)
Observer le tableau de la p. 67 et analyser la distribution *un peu de / quelques,* selon qu'il s'agit d'une quantité continue ou discontinue.
Ne pas confondre *un peu de* (qui est neutre et objectif et ne peut s'appliquer qu'aux quantités continues) et *peu de* (généralement subjectif et synonyme d'insuffisant) qui s'applique à toutes les quantités. *Peu de,* dans le langage quotidien, a tendance à être remplacé par *pas beaucoup de.*

■ *ACTIVITÉS*

Phonétique et Mécanismes

- Le son [ɲ].
- Exemple de transformation : *l'emploi des expressions de quantité.*

<table>
<tr>
<td rowspan="2">*Transcription*</td>
<td>

Phonétique
Répétez !
Il y a des champignons dans le bœuf bourguignon ? (...)
Qu'est-ce que vous préférez : la montagne ou la campagne ? (...)
Monsieur Lavigne habite en Bourgogne. (...)

Mécanismes
Écoutez !
Elle aime beaucoup le café → Elle prend beaucoup de café.
Il n'aime pas beaucoup le café → Il prend un peu de café.
Il n'aime pas beaucoup les escargots → Il prend quelques escargots.

</td>
<td>

À vous !
Elle aime beaucoup le café (...) Elle prend beaucoup de café.
Il n'aime pas beaucoup le café (...) Il prend un peu de café.
Pierre aime beaucoup les escargots (...) Il prend beaucoup d'escargots.
Anne n'aime pas beaucoup les escargots (...) Elle prend quelques escargots.
Pierre aime beaucoup le lapin (...) Il prend beaucoup de lapin.
Annie n'aime pas beaucoup le lapin (...) Elle prend un peu de lapin.
Jacques n'aime pas beaucoup le fromage (...) Il prend un peu de fromage.
Nicole n'aime pas beaucoup les haricots (...) Elle prend quelques haricots.

</td>
</tr>
</table>

Exercices

EX. 10, P. 71

Activité faisant appel aux connaissances des étudiants. Discussion sur les habitudes alimentaires dans les différents pays.
L'essentiel est de faire produire des énoncés du type :
« En Italie, on mange beaucoup de pâtes, on ne boit pas beaucoup de thé, mais le café italien est excellent... ».

EX. 11, P. 71

- un peu de poulet - quelques champignons
- beaucoup de bruit

- un peu de / beaucoup de lait
- quelques chansons

EX. 12, P. 71

Images pour jeu de rôles.
1. Deux jeunes gens rentrent de vacances. Ils ont faim. Ils ouvrent la porte du réfrigérateur :
« Qu'est-ce qu'il y a dans le réfrigérateur ?
— Deux œufs, du beurre et un reste de poulet au riz.
— Oh regarde, sur la table, il y a des fruits !
— Qu'est-ce que tu veux manger ?
— . . . . »
2. Deux explorateurs assoiffés ont trouvé un point d'eau dans le désert.
Imaginer le dialogue :
- avant la découverte du point d'eau ;
- au moment de la découverte ;
- dans la situation représentée par l'image. La jeune femme semble dégoûtée par l'eau du marigot. Le jeune homme semble prêt à boire.

LEÇON 3

OBJECTIFS

Vocabulaire	Grammaire
• vocabulaire des activités de la journée (p. 74) • vocabulaire des faits divers (p. 75) • *la fin - une dispute - le calme - une chose* • *content(e) - bizarre -* être *à la retraite - tranquille* • *bavarder - changer - se passer* *n'est-ce pas ?*	• conjugaison du présent des verbes pronominaux
Phonétique	Communication
• le son [ə] en finale et en position intermédiaire	• décrire les activités de la journée. Raconter • demander l'avis de quelqu'un (n'est-ce pas ?) • lire des titres de presse (faits divers)

DIALOGUE ET DOCUMENTS

Il est recommandé de commencer par la rubrique « Vocabulaire et grammaire ».

Dialogue

Il s'agit en fait de deux dialogues menés en parallèle à la fin du repas par les dames d'une part, les hommes de l'autre.

a) Dialogue entre Mme Martin et Mme Lavigne

Expliquer *content(e) - calme* et le verbe *chercher*.

b) Dialogue entre M. Martin et M. Lavigne

— *tranquille* : synonyme de calme - signifie aussi peu animé.

Citer des endroits tranquilles de votre ville ou de votre pays.

— *n'est-ce pas ?* : cette expression permet de demander l'avis de quelqu'un sur une affirmation que l'on vient d'énoncer.

La pratiquer par des questions en classe.

« Vous connaissez Nicolas Legrand. N'est-ce pas ?

M. Lavigne fait un régime. N'est-ce pas ? »

— *changer* : faire comprendre ce verbe par « être différent ».

Relever ce qui change dans la ville, le pays, les habitudes.

— *chose* : ce mot peut avoir un sens concret (les choses opposées aux personnes) et un sens plus abstrait d'événement.

— *bizarre* : rechercher des choses bizarres (concrètes ou abstraites).

— *se passer* : que se passe-t-il à Paris le 14 juillet ? dans votre ville, le ... ?

Ce verbe sera surtout travaillé avec le vocabulaire des faits divers et au cours de l'ex. 7, p. 77.

Compréhension des titres débouchant sur une présentation du vocabulaire des faits divers (p. 75).

▧ *VOCABULAIRE ET GRAMMAIRE*

Les activités de la journée et les verbes pronominaux
- Repérer les activités déjà connues. Faire induire, puis expliquer le sens des autres.
- Présenter la conjugaison des verbes pronominaux
On pourra montrer le sens réfléchi des verbes pronominaux de cette leçon.
On opposera :
« Je réveille Jacques » et « Je me réveille ».
On prendra soin de faire remarquer :
   a) que ce processus de formation n'est pas valable pour tous les verbes ;
   b) que la forme pronominale n'a pas toujours un sens réfléchi.
   « Je me bats » signifie la plupart du temps « Je lutte contre quelqu'un ».
   « Se passer » ne peut être employé qu'à la troisième personne, sauf dans le cas de *se passer de*.
- Organiser une conversation sur les activités quotidiennes des étudiants au cours de laquelle on réemploiera le vocabulaire vu plus haut.

▧ *ACTIVITÉS*

Phonétique et Mécanismes

- Le e muet. Faire répéter les phrases.
Écrire ensuite les phrases au tableau et observer la prononciation de la lettre *e* :
   — chute du *e* en finale ;
   — à l'intérieur d'un mot le *e* ne se prononce pas s'il est précédé d'une seule consonne prononcée (samedi - avenue - médecin). Il se prononce, s'il est précédé de deux consonnes prononcées (apprenez - comprenez - elle demande - je ne me lève pas) ;
   — lorsque le *e* est dans la syllabe initiale du mot il est souvent prononcé (*Regardez ! la secrétaire*).
- Systématisation des *verbes pronominaux* à la forme affirmative et négative.

Transcription

Phonétique
Répétez !
Elle demande un médecin. (...)
Le samedi matin je ne me lève pas très tôt. (...)
Il a un appartement, avenue Foch. (...)
Regardez ! Comprenez ! Apprenez ! (...)
Il n'aime pas la secrétaire du directeur. (...)
Le samedi et le dimanche, on va se reposer à la campagne. (...)

Mécanismes
Écoutez !
Est-ce que tu te lèves à 8 heures ? / oui
Oui, je me lève à 8 heures.
Est-ce que tu te lèves à 10 h ? / non
Non, je ne me lève pas à 10 h.

À vous !
Est-ce que tu te lèves à 8 heures / oui (...)
Oui, je me lève à 8 heures.
Est-ce qu'il se couche à minuit ? / non (...)
Non, il ne se couche pas à minuit.
Est-ce que vous vous reposez beaucoup ? / non (...)
Non, je ne me repose pas beaucoup.
Est-ce que M. et Mme Martin se lèvent tard ? / oui (...)
Oui, ils se lèvent tard.
Est-ce que nous nous couchons tard ? / non (...)
Non, nous nous couchons pas tard.
Est-ce que M. et Mme Martin se promènent dans la campagne ? oui (...)
Oui, ils se promènent dans la campagne.
Est-ce que tu te lèves à 10 h ? / non (...)
Non, je ne me lève pas à 10 h.
Est-ce qu'il s'habille pour aller au théâtre ? / oui (...)
Oui, il s'habille pour aller au théâtre.

Exercices

EX. 1, P. 76

- ... dorment ... Ils se couchent à 9 h ... et se lèvent à ...
- Nous partons ... Nous nous réveillons tôt.

- Je voudrais me lever tôt ... je ne peux pas ...
- Tu te couches tard ... tu as sommeil.
- Elle s'habille ...

EX. 2, P. 76

- Non, ils ne se lèvent pas à 6 h.
- Non, elle ne se lève pas tard.

- Non, elle ne s'habille pas mal.
(Les deux dernières questions sont personnelles.)

EX. 3, P. 76

M. Lemercier se réveille à 7 h. Il prend une douche et à 7 h et demie, il prend son petit déjeuner. À 8 h, il part au bureau. Il arrive à 8 h et demie. Il travaille de 8 h et demie à midi. À midi et demie, il va déjeuner dans un petit restaurant. De 14 h à 17 h 30, il reste au bureau. Il travaille. Puis il se promène au jardin des Tuileries et il rentre chez lui. À 20 h, il dîne, puis il regarde la télévision. Il se couche à 22 h.

EX. 4, P. 76

Activité d'expression orale qui peut se préparer en petits groupes, chaque groupe prenant en charge le récit de la journée d'un personnage.
Il s'agit de raconter la journée d'une étudiante, d'un musicien, d'un homme d'affaires, d'un bébé, d'un chat.
Dans un deuxième temps, les étudiants se mettent par deux et s'interrogent sur leurs habitudes en semaine, le dimanche, en vacances.
Chaque étudiant rapporte à l'ensemble de la classe les habitudes de son interlocuteur.

EX. 5, P. 77

Activité de compréhension écrite à partir de titres de presse.
Les étudiants observent les titres, puis répondent aux questions :
« Qu'est-ce qu'il y a dans le journal ? Qu'est-ce qui se passe ? »

EX. 6, P. 77

À faire en petits groupes pour une recherche d'idées plus fructueuse.
Il s'agit d'imaginer les titres d'un journal de l'an 2050.
Les trouvailles varieront en fonction de l'âge des apprenants et du pays.
Quelques exemples :
   Un nouveau train entre Paris et Marseille. Départ 8 h. Arrivée 10 h.
   On trouve des haricots sur la planète Mars.

EX. 7, P. 77

Observer et décrire les images.
Imaginer ce qui se passe.
Des jeunes hurlent leur enthousiasme : concert de rock, discours d'un homme politique, remise de prix, etc.
Une queue devant un cinéma des Champs-Élysées. Mais on peut aussi imaginer un attroupement à cause d'un assassinat, d'un cambriolage, d'une vedette de cinéma, etc.
Un embouteillage sur l'autoroute : départ en vacances, accident, grève des automobilistes, etc.
Des voitures de police arrêtées : accident de voiture, meurtre, incendie, manifestation, etc.
On pourra faire des comparaisons avec les autres pays. Y a-t-il des queues semblables devant les cinémas et sur les autoroutes ? Le comportement des jeunes est-il aussi excessif ?

OBJECTIFS

Vocabulaire	*Grammaire*

• *le vent*
• *entendre - monter - descendre*
  avoir peur
• *en haut / en bas*
• *peut-être - sans doute*
	• *quelque chose / ne ... rien*
	  quelqu'un / ne ... personne
	  (en position de complément d'objet)

Phonétique	*Communication*
• le son [j] en position intervocalique	• exprimer l'inquiétude, la peur • exprimer le doute ou la certitude

DIALOGUE ET DOCUMENTS

• Écoute de l'enregistrement et observation de l'image.
À partir des indices linguistiques et extra-linguistiques que les étudiants peuvent interpréter, faire imaginer le contenu du dialogue.
• Introduire *quelqu'un / personne* et *quelque chose / rien* par des exemples en situation de classe. « Il y a quelqu'un dans le couloir / dans la cour ? Il y a quelque chose dans le tiroir / sur la table ? ».
• Présenter la rubrique « le mouvement », p. 75.
• Réécouter le dialogue et l'analyser réplique par réplique.
Le sens de *avoir peur* s'éclairera par la situation.
Expliquer *peut-être* et *sans doute* par une mimique dubitative ou affirmative et donner des exemples.
• Jouer le dialogue.

VOCABULAIRE ET GRAMMAIRE

Personne - rien
Compréhension des bulles des personnages et présentation du tableau (mettre en valeur la distribution personnes / choses - affirmatif / négatif).
Observer la construction de ces pronoms indéfinis dans les structures *verbe + verbe à l'infinitif.*
Je ne veux voir *personne* - je ne veux rien *boire.*

C'est sûr - ce n'est pas sûr
Faire réagir les étudiants sur des énoncés afin qu'ils expriment leur doute ou leur certitude.
Il y a un voleur dans la maison de M. et Mme Martin (Peut-être ? C'est sûr ? ...).
Mme Martin aime Broussac...

ACTIVITÉS

Phonétique et Mécanismes

- Le son [j] en position intervocalique.
- Exercice de transformation : *quelqu'un / personne ; quelque chose / rien.*

<table>
<tr><td rowspan="2">Transcription </td><td>

Phonétique
Répétez !
C'est un vieux monsieur ennuyeux. (...)
Je n'aime pas la bière. (...)
J'aime bien les appartements anciens. (...)
Il n'y a personne dans la pièce. (...)
C'est la dernière page du cahier. (...)
Vous voyez cet escalier ? (...)

Mécanismes
Écoutez !
Vous voyez quelqu'un ? → Je ne vois personne.
Il entend quelque chose ? → Il n'entend rien.

</td><td>

À vous !
Vous voyez quelqu'un ? (...) Je ne vois personne.
Vous voyez quelque chose ? (...) Je ne vois rien.
Il y a quelqu'un dans la maison ? (...) Il n'y a personne.
On achète quelque chose ? (...) On n'achète rien.
Vous voulez quelque chose ? (...) Je ne veux rien.
Nous connaissons quelqu'un à Paris ? (...) Nous ne connaissons personne.
Ils entendent quelque chose ? (...) Ils n'entendent rien.
Vous travaillez avec quelqu'un ? (...) Je ne travaille avec personne.

</td></tr>
</table>

Exercices

EX. 8, P. 78

Non, elle ne connaît personne.
Vous buvez quelque chose ?
Non, on n'achète rien.
Il y a quelqu'un ?

Non, je ne veux parler à personne.
Vous voulez manger quelque chose ?
Non, je ne vois rien.
Vous attendez quelqu'un ?

EX. 9, P. 78
Image pour jeux de rôles.
  1. Un couple dans la forêt. La femme semble inquiète. L'homme montre une forme sombre à côté de l'arbre.
  2. Un homme et une femme viennent de rentrer chez eux. La fenêtre est ouverte. Une chaise a été renversée. Sur le sol, des empreintes de pas se dirigent vers une porte fermée.
Les étudiants préparent ces jeux de rôles par deux, en s'inspirant du dialogue de la leçon.

C

OBJECTIFS

Vocabulaire	Grammaire
• *une boîte - un outil - une clé - une montre* • *chercher - trouver* • *mon Dieu !*	• les adjectifs possessifs (un seul possesseur - les autres seront vus en II 4) • *autre* (adjectif)
Phonétique	Communication
• les sons [s] et [z]	• exprimer l'appartenance • exprimer la surprise • localiser un objet

DIALOGUE ET DOCUMENTS

Il est recommandé de commencer par la rubrique « Vocabulaire et grammaire ».
Dialogue
Écoute de l'enregistrement et observation de l'image.
Présenter les mots *boîte - outil - montre - clé* grâce à l'image et le verbe *trouver* par le mime.
Jouer le dialogue.
Faire des jeux de rôles sur des situations similaires :
  • au moment de payer, l'étudiant ne trouve pas son argent ;
  • arrêté par la police, il ne trouve pas son passeport ;
  • le mari se prépare, mais il ne trouve pas ses chaussures.

VOCABULAIRE ET GRAMMAIRE

Les adjectifs possessifs
• On les présentera en situation de classe.
« C'est ton livre ? » - « C'est son stylo ? »
« Quel est son nom, son adresse ... ? » etc.
• Observer et commenter le tableau de la p. 75.
Comparer avec le système des possessifs dans la langue maternelle de l'étudiant.

ACTIVITÉS

Phonétique et mécanismes

• L'opposition entre la consonne sourde [s] et la sonore [z].
Si les étudiants ont tendance à produire un [s] au lieu d'un [z], travailler en intonation descendante, en position finale ou intervocalique. La voyelle qui précède doit être une voyelle grave ([a] - [ɔ] - [ɑ̃] - [ɔ̃]).
• Exercice de transformation : *les adjectifs possessifs.*

Transcription		
	Phonétique	*À vous !*
	Répétez !	C'est la voiture de M. Martin ? (...) C'est sa voiture.
	Dans cette maison il se passe des choses bizarres. (...)	Ce sont les clés de M. Martin ? (...) Ce sont ses clés.
	Je choisis une salade. (...)	C'est ton cahier ? (...) C'est mon cahier.
	Ils sont fatigués. Ils ont soif. (...)	C'est le stylo de Pierre ? (...) C'est son stylo.
	Son jardin est devant la maison. (...)	C'est ta montre ? (...) C'est ma montre.
	Il se repose sur la Côte d'Azur. (...)	Ce sont tes amis ? (...) Ce sont mes amis.
	Ses outils sont sous le fauteuil. (...)	C'est ta voiture ? (...) C'est ma voiture.
		Ce sont les livres de Marie ? (...) Ce sont ses livres.
	Mécanismes	
	Écoutez !	
	C'est la voiture de M. Martin ? C'est sa voiture.	
	C'est ta voiture ? C'est ma voiture.	

Exercices

EX. 10, P. 79

Ce sont ses outils.
C'est son amie.
Ce sont ses cigarettes.
C'est mon dictionnaire.

C'est sa maison.
Ce sont mes disques.
C'est ma voisine.
C'est mon adresse.

EX. 11, P. 79

La mère demande à ses enfants à qui appartiennent les objets qu'elle a trouvés.

« C'est ton disque, Marie ?

— Non, c'est le disque de Jacques.

— Oui, c'est mon disque »

Etc.

EX. 12, P. 79

Exercice d'écoute à faire avec la cassette.

Pour chaque petit dialogue faire trouver :

— l'objet recherché ;

— la pièce dans laquelle il se trouve ;

— l'emplacement exact.

Mme Rémi	: Paul, qu'est-ce que tu cherches ?	
Paul	: Mon cartable.	
Mme Rémi	: Il est sur un fauteuil, dans le salon.	
Marie	: Maman !	
Mme Rémi	: Oui Marie, qu'est-ce qu'il y a ?	
Marie	: Je ne trouve pas mon dictionnaire de français.	
Mme Rémi	: Il n'est pas dans ta chambre ?	
Marie	: Non.	
Mme Rémi	: Regarde dans la chambre de Paul ...	
Marie	: Ah oui, il est sur le bureau de Paul.	
Mme Rémi	: André, qu'est-ce que tu cherches ?	
André	: Mes chaussures.	
Mme Rémi	: Regarde sous ton lit, sous ton armoire !	
André	: Voilà. Elles sont sous mon lit !	
Nicole	: Maman, je ne trouve pas ma robe bleue !	
Mme Rémi	: Elle n'est pas dans ton armoire ?	
Nicole	: Non.	
Mme Rémi	: Alors, elle est dans la machine à laver.	

Faire remplir le tableau

	Il / elle cherche	C'est dans quelle pièce ?	Où exactement ?
Paul	son cartable	le salon	sur un fauteuil
Marie	son dictionnaire	la chambre de Paul	sur le bureau
André	ses chaussures	la chambre d'André	sous le lit
Nicole	sa robe bleue	la pièce où se trouve la machine à laver	dans la machine à laver

LEÇON 4

UNITÉ 2

OBJECTIFS

Vocabulaire	Grammaire
• les vêtements - les matériaux - les couleurs (p. 82) • poids et mesures - prix (p. 83) • *un rideau - un ruban - un secret* • *désirer* • *curieux* • *tout* (pronom) - *combien*	• structures : un blouson de/en cuir coûter/faire 20 F le mètre • *pour* (but) *pour quoi faire ?*
Phonétique	Communication
• les sons [p] et [b]	• actes relatifs aux situations d'achat : demander quelque chose - préciser - caractériser - payer

Civilisation
• Les petits commerces dans les villages.

DIALOGUE ET DOCUMENTS

Il est recommandé de commencer par la rubrique « Vocabulaire et grammaire ».
• Écoute du dialogue et observation de l'image.
Faire raconter la scène pour bien comprendre la situation.
Travailler ce dialogue en quatre étapes :
    — le premier dialogue entre le garçon et la vendeuse (acte de demande) ;
    — l'échange entre Mme Martin et la vendeuse (acte de demande) ;
    — l'achat du ruban et le paiement par le garçon ;
    — les remarques finales (la dernière réplique de la vendeuse intervient lorsque le garçon est sorti).
La vendeuse est intriguée parce que le jeune homme achète du ruban rouge et un pantalon d'une taille bien supérieure à la sienne. On remarquera la curiosité de cette commerçante de petit village. Son magasin est sans doute un haut lieu de commérages et de potins.
Le mystère de ces achats curieux se résoudra dans la séquence suivante.
• Jouer le dialogue.

VOCABULAIRE ET GRAMMAIRE

Les noms des vêtements. Les présenter d'après les dessins de la p. 82.
Expliquer le sens des mots qui ne sont pas illustrés ou qui peuvent poser des problèmes d'interférences avec la langue maternelle (costume - blouson - veste - pull-over).

Les matériaux

Expliquer les matériaux des vêtements.

Observer les deux structures : un blouson *en* cuir / *de* cuir. Les deux formes sont équivalentes. Toutefois, on utilise plutôt *en* lorsqu'on veut insister sur la matière (ce blouson est en cuir), *de* lorsqu'on nomme simplement l'objet (j'achète un blouson de cuir).

Les couleurs

Exploiter ce vocabulaire en situation de classe.
- Décrire les vêtements d'un étudiant.
- Identifier un étudiant d'après une description de ses vêtements (Qui porte un pull-over jaune ?).
- Commenter des catalogues de vêtements, des photos de mode. Introduire pour cela le vocabulaire de caractérisation des vêtements.

Poids - mesures - prix

— Présenter les deux rubriques de la p. 83.
— Exploiter ce vocabulaire :
- demander aux étudiants de deviner le poids et la taille de l'un d'entre eux ; d'un personnage connu, etc.
- évaluer le poids et les dimensions d'un objet, puis vérifier.
— Organiser une discussion sur les prix (dans le pays des étudiants) :
- des produits alimentaires ;
- du logement ;
- des vêtements.

Comparer ces prix avec ceux qui sont pratiqués en France ou dans d'autres pays.

Montrer si possible des billets et des pièces de monnaie française.

L'argent en France.
Les billets : 500 F (il représente Pascal) - 200 F (Montesquieu) - 100 F (Delacroix) - 50 F (Quentin de la Tour).
Les pièces : 10 F - 5 F - 2 F - 1 F - 50 centimes - 20 c. - 10 c. - 5 c.

ACTIVITÉS

Phonétique et Mécanismes

- L'opposition [p] - [b].
- Exercice de construction de phrases. Demandes d'objets et de prix.

<table>
<tr><td rowspan="2">Transcription
</td><td>

Phonétique
Répétez !
Tu mets ton pull et ta jupe ? (...)
Il porte un blouson blanc ? (...)
Mon chapeau est là-bas sur la table. (...)
Il demande du ruban et un pantalon. (...)
Elle achète une boîte de petits pois. (...)
C'est un beau chapeau. (...)

Mécanismes
Écoutez !
(bœuf - un kilo)
Je voudrais du bœuf. C'est combien le kilo ?
(ruban - un mètre)
Je voudrais du ruban. C'est combien le mètre ?

</td><td>

À vous !
(bœuf - un kilo) (...)
Je voudrais du bœuf. C'est combien le kilo ?
(fromage - 100 grammes) (...)
Je voudrais du fromage. C'est combien les 100 grammes ?
(vin - une bouteille) (...)
Je voudrais du vin. C'est combien la bouteille ?
(cigarettes - un paquet) (...)
Je voudrais des cigarettes. C'est combien le paquet ?
(beurre - 250 grammes) (...)
Je voudrais du beurre. C'est combien les 250 grammes ?
(ruban - un mètre) (...)
Je voudrais du ruban. C'est combien le mètre ?

</td></tr>
</table>

Exercices

EX. 1, P. 84

Activités pour l'exploitation du vocabulaire des couleurs.
On pourra également décrire ou identifier d'autres drapeaux.

1. Belgique	2. Brésil	3. Suède
4. Espagne	5. Italie	6. Grèce

EX. 2, P. 84

Images pour des jeux de rôles (scènes d'achats).

1. *Chez le marchand de légumes.*

Prévoir des objets qui permettront un minimum de mise en scène (même si ces objets ne sont que symboliques).

2. *Dans un magasin de vêtements.*

Voir auparavant le vocabulaire de la rubrique « Dans un magasin de vêtements » p. 82.

Ces jeux de rôles suivront le canevas du déroulement des actes d'achat.

● Demande (par l'acheteur).

● Échanges de demandes de précisions (entre le vendeur et l'acheteur).

● Essayage (pour un vêtement) ou commentaire sur la qualité (pour les autres produits).

● Demande de prix.

● Paiement.

On peut aussi imaginer d'autres situations d'achat et procéder au jeu suivant :

● l'enseignant inscrit diverses situations d'achat sur des morceaux de papier (télévision - vêtement - chaussures - stylo - bijou - appartement, etc.) ;

● la classe est divisée en petits groupes (2 ou 3 étudiants). Chaque groupe tire au sort un morceau de papier et doit préparer le jeu de rôles ;

● chaque groupe joue la scène qu'il a préparée. Chaque scène est suivie d'un commentaire (qualité et originalité du jeu - correction des fautes linguistiques par l'enseignant et le groupe classe).

EX. 3, P. 84

Simple exercice oral destiné à faire pratiquer l'expression de but.

Qu'est-ce que c'est ? C'est pour quoi faire ?

La carte de crédit : pour payer des achats - pour louer une voiture - pour retirer de l'argent.

La balance : pour peser.

Le magnétophone : pour enregistrer... pour écouter...

OBJECTIFS

Vocabulaire	*Grammaire*
● vêtements - matériaux - prix (voir pp. 82 et 83)	● les adjectifs possessifs (plusieurs possesseurs - suite de la leçon II 3) ● l'accord des adjectifs ● conjugaison des verbes *mettre - payer - essayer*
Phonétique	*Communication*
● le son [j] en position finale	● lire/rédiger une annonce publicitaire ● exprimer l'appartenance ● caractériser des vêtements

Civilisation
● La mode vestimentaire et son évolution.

▮ DIALOGUE ET DOCUMENTS

La plupart des mots auront été vus précédemment. Induire le sens des mots nouveaux (*mercerie...*) ainsi que de l'adjectif possessif *nos*.

Imaginer le discours d'un présentateur qui aurait pour mission de faire de la publicité pour la journée de soldes du magasin.

▮ VOCABULAIRE ET GRAMMAIRE

Les adjectifs possessifs (plusieurs possesseurs)

Même démarche que celle qui a été présentée (L. P. p. 67) pour les autres possessifs.

Rechercher, par exemple, ce qui peut appartenir au groupe classe (notre tableau, notre classe) ou pays (notre drapeau, notre président), etc.

Les matériaux

Présenter la totalité de la rubrique de la p. 82.

▮ ACTIVITÉS

Phonétique et Mécanismes

- Le yod en position finale.
- Exercice de transformation pour la production des *possessifs*.

<table>
<tr><td rowspan="2">Transcription</td><td>

Phonétique
Répétez !
Elle travaille dans le pays. (...)
Quelle est la taille de cette fille ? (...)
Il ne s'habille pas vite. Il a sommeil. (...)
Votre portefeuille est sous le fauteuil. (...)
La vieille dame se réveille tard. (...)
Cette fille est gentille. (...)

Mécanismes
Écoutez !
C'est la voiture de M. et Mme Martin → C'est leur voiture.
M. et Mme Martin ! C'est votre voiture → C'est notre voiture.

</td><td>

À vous !
C'est la voiture de M. et Mme Martin ? (...) C'est leur voiture.
Ce sont les clés de M. et Mme Martin ? (...) Ce sont leurs clés.
Jean et Michel ! Ce sont vos vêtements ? (...) Ce sont nos vêtements.
C'est la chemise de Pierre ? (...) C'est sa chemise.
C'est la ferme de M. et Mme Lavigne ? (...) C'est leur ferme.
M. et Mme Lavigne ! C'est votre maison ? (...) C'est notre maison.
C'est ta ceinture ? (...) C'est ma ceinture.
C'est le manteau de Marie ? (...) C'est son manteau.

</td></tr>
</table>

Exercices

EX. 4, P. 85

Exercice pour la production des compléments de matière.

Pour les tours de la Défense, regarder l'image de la p. 61. Elles sont en béton, en verre, en fer.

EX. 5, P. 85

L'activité peut aller de la production d'un court slogan (Venez goûter notre excellent cassoulet !) jusqu'à la rédaction d'une publicité semblable au document B.

On pourrait aussi imaginer des publicités pour un promoteur immobilier vantant ses nouvelles constructions ou pour une agence immobilière.

L'objectif consiste à revoir un thème de vocabulaire (la nourriture - le logement) et à employer les possessifs (la publicité doit donc être construite selon la même structure que le document B).

EX. 6, P. 85

Il s'agit de faire réagir les étudiants sur diverses modes vestimentaires.
On trouvera quatre groupes de personnages.

1. *La mode « hippie » des années 70.*
Lui : cheveux longs et bandeau - tunique - pendentif (portant probablement le symbole de la paix) - pantalon de toile - chaussures de toile.
Elle : robe longue très colorée - sac en toile ou en peau souple.

2. *La mode « jean ».*
Lui : pantalon et blouson de toile « jean » - chaussures de tennis.
Elle : pantalon jean étroit - sandalettes - pull à col roulé moulant.

3. *La mode « punk » des années 80.*
Lui : pantalon de skaï noir - tee-shirt noir - lunettes noires - bottes noires.
Elle : robe très courte et moulante. Beaucoup de faux bijoux clinquants.

4. *La mode « branchée » de la fin des années 80*
Lui : pantalon à pinces, très large mais serré à la taille - chemise et veste très ample - grosses chaussures épaisses.
Elle : jupe étroite - veste ample.

En fonction du pays et de la mode du moment, il est conseillé de proposer aux étudiants d'autres photos découpées dans des magazines.
Animation possible :
— description des images et identification de la mode ;
— commentaires sur les qualités et les défauts de ces vêtements ;
— commentaires et discussion sur le rôle de la mode, son importance, etc.

EX. 7, P. 86

Revoir les règles d'accord de l'adjectif.
étroites - belles - blanches - courtes - longues - vertes - bleues - neuves - vieilles

EX. 8, P. 86

Exercice de conjugaison
● ils mettent ● j'essaie ● coûtent ● payons ● essayer ● paie

OBJECTIFS

Vocabulaire	*Grammaire*
● *les gens - un personnage - une histoire - un prêtre - une explication - une disparition - un déguisement* ● *étrange* ● *découvrir - se déguiser*	● formes possessives : *être à* + *nom* ou *pronom tonique* (moi, toi, etc.) question *À qui est... ?* ● *tout* : adjectif et pronom
Phonétique	*Communication*
● intonation de l'interrogation avec adjectif interrogatif	● demander/dire l'appartenance

Civilisation
● La bande dessinée : les aventures d'Astérix le Gaulois.

DIALOGUE ET DOCUMENTS

Il est recommandé de commencer par la rubrique « Vocabulaire et grammaire ».
Découverte individuelle (ou en petits groupes) de la p. 81. Les étudiants devront ensuite :
- mimer les attitudes et les déplacements de M. Martin ;
- décrire ce que M. Martin voit dans la grange ;
- jouer la scène des déguisements.

Assurer la compréhension des difficultés qui restent dans l'ombre.
Imaginer le dialogue entre M. Martin et les jeunes gens.
Faire des hypothèses sur les raisons qui amènent les jeunes gens à se déguiser.
Montrer que se trouve résolue l'énigme de la disparition de la serpe et du chaudron.

VOCABULAIRE ET GRAMMAIRE

L'expression de la possession.
- Introduire la forme *être à* + *nom* ou *pronom tonique* et la question *à qui...* ?

À travailler en situation de classe comme pour les adjectifs possessifs.
« À qui est ce livre, ce stylo, la voiture bleue dans la cour, etc. ? »
- Répertorier tous les moyens d'expression de la possession :
— le complément déterminatif (c'est la voiture de Jacques) ;
— l'adjectif possessif (c'est sa voiture) ;
— la forme *être à* (elle est à lui).

Faire les ex. 9 et 10 de la p. 86.
- **Tout**

Analyser les exemples de la p. 83.
Faire remarquer la prononciation.
Il prend tous les livres.   Ils partent tous.

ACTIVITÉS

Phonétique et Mécanismes

- Intonation de la question commençant par un mot interrogatif.
- Exercice de transformation : la possession. Production de la forme *être à* + *pronom tonique* (*moi, toi,* etc.).

Transcription

Phonétique
Répétez !
À qui est cette ceinture ? (...)
Quel âge a-t-il ? (...)
Où va-t-elle ? (...)
À qui sont ces vêtements ? (...)
Quelle est votre taille ? (...)
Où habite-t-il ? (...)

Mécanismes
Écoutez !
C'est mon pull-over → Il est à moi.
Ce ne sont pas nos livres → Ils ne sont pas à nous.

À vous !
C'est mon pull-over (...) Il est à moi.
Ce ne sont pas nos livres (...) Ils ne sont pas à nous.
C'est la maison de M. et Mme Martin (...) Elle est à eux.
C'est l'argent de Jacques (...) Il est à lui.
Ce n'est pas le manteau de Marie (...) Il n'est pas à elle.
Ce sont tes chaussures (...) Elles sont à toi.
Ce n'est pas votre voiture (...) Elle n'est pas à vous.
Ce sont les robes des filles (...) Elles sont à elles.

Exercices

EX. 9, P. 86

Cette maison n'est pas à nous.	Cette chemise est à moi.
Cette voiture est à eux.	Ces clés sont à moi.
Ces cigarettes ne sont pas à toi.	Ce portefeuille n'est pas à lui.
Ces vêtements sont à nous.	Ces livres sont à elles.

EX. 10, P. 86

On pourra reconnaître :
— le pendentif ou l'amulette de Nicolas Legrand (et de la jolie spectatrice) ;
— le centimètre de la vendeuse de tissu (ou de Mme Martin) ;
— le magnétophone de Valérie Florentini ;
— les clés de M. Martin.

EX. 11, P. 87

Elle connaît toute la Bourgogne.	Elle lit tous les livres de Balzac.
Toutes les histoires d'Astérix sont amusantes.	Il finit tous les plats.
Il lave, il range, il fait tout dans la maison.	Tu veux tout le gâteau ?

EX. 12, P. 87

Exercice d'écoute à faire avec la cassette.
Écouter chaque conversation. Identifier : le lieu, l'objet acheté, la quantité, le prix payé.
Remplir au fur et à mesure le tableau de la p. 87.

H : Je voudrais 1 kg de tomates.	F1 : Qu'est-ce que vous désirez Madame ?
F : Voilà Monsieur.	F2 : Je voudrais savoir le prix de ce tissu bleu.
H : Ça fait combien ?	F1 : Il fait 20 F le mètre.
F : 5 F, s'il vous plaît.	F2 : Bon, je vais en prendre 4 mètres.
H : Une boîte d'aspirine, s'il vous plaît.	H : Qu'est-ce que tu veux ?
F : Voilà Monsieur. C'est tout ?	E : Un stylo bleu, un rouge et un noir. Et
H : Je voudrais aussi un dentifrice au fluor.	aussi, je voudrais une gomme.
F : Voilà. 6 F les aspirines et 12 F le dentifrice. Ça fait 18 F.	H : Voilà, ça fait... 3 fois 8, 24 et 5, 29. 29 F.

	Où sont-ils ?	Qu'est-ce qu'ils achètent ?	Quel poids ? Combien ?	Combien payent-ils ?
1	une épicerie	des tomates	1 kg	5 F
2	une pharmacie	une boîte d'aspirines un tube de dentifrice	une boîte un tube	18 F
3	une mercerie un magasin de tissus	du tissu bleu	4 m	80 F
4	une papeterie	des stylos une gomme	3 stylos 1 gomme	29 F

EX. 14, P. 87

Objectifs de cette activité :
   1. activité de compréhension écrite (texte et bande dessinée) ;
   2. faire connaître aux étudiants (aux jeunes et aux moins jeunes) une bande dessinée française extrêmement populaire.

Lecture du texte

On procédera d'abord à une lecture silencieuse. Beaucoup de mots sont nouveaux mais un certain nombre pourra être compris approximativement dans certains pays (grâce aux similitudes possibles avec la langue maternelle).

Faire appel aux étudiants qui connaissent déjà les histoires d'Astérix en traduction pour présenter :
— le contexte historique dans lequel se déroulent les histoires d'Astérix ;
— les personnages.

Présenter la situation initiale de l'aventure « Astérix légionnaire ».

Lecture de la B.D.

— Présenter la situation. Astérix et Obélix se sont engagés dans l'armée romaine. Ils reçoivent leur uniforme.

— Analyser l'attitude d'Astérix et celle d'Obélix et assurer la compréhension du contenu des bulles (ne pas expliquer le futur *donnera*, ni le subjonctif *sois*).

— Raconter la scène.

Les aventures d'Astérix le Gaulois.

La situation de départ de ces histoires est toujours identique. L'armée romaine commandée par Jules César occupe la Gaule (Ier siècle avant J. C.). Mais un petit village de Bretagne refuse de se rendre. Les gens de ce village disposent, en effet, d'une potion magique fabriquée par leur druide Panoramix. Cette potion a des effets limités dans le temps, mais leur donne une force surhumaine. Le héros des histoires est Astérix, un petit Gaulois rusé toujours flanqué de son ami Obélix (chez ce dernier, les effets de la potion magique sont permanents). D'autres personnages se retrouvent dans chacune des histoires : le chef du village Abraracourcix, le barde (musicien chanteur) Assurancetourix, le marchand de poissons, le forgeron, etc. L'humour et le comique naissent des situations cocasses, des jeux de mots et de la parodie.
Sur la p. 81 on trouvera deux titres :
La serpe d'or. *Le druide Panoramix a besoin d'une serpe spéciale pour effectuer le rituel sacré de la cueillette du gui. Astérix et Obélix parcourent la Gaule et vont jusqu'à Rome pour trouver cette serpe.*
Le chaudron. *Le chef d'un village voisin de celui d'Astérix confie à ce dernier un chaudron rempli de pièces d'or pour ne pas avoir à payer d'impôts aux Romains. Mais le chaudron est volé ...*

Leçon 5

OBJECTIFS

Vocabulaire	Grammaire
• *une catastrophe - une idée - un concours -* *le Carnaval - un char (de carnaval)* • *malade* • *se dépêcher - s'asseoir - se mettre - préparer -* *aller chercher*	• l'impératif - forme affirmative et négative (verbes simples et verbes pronominaux) • conjugaison de *s'asseoir*
Phonétique	Communication
• les sons [f] et [v]	• donner un ordre • interdire

<table>
<tr><td align="center">Civilisation</td></tr>
<tr><td align="center">• Les fêtes en France.</td></tr>
</table>

DIALOGUE ET DOCUMENTS

Lecture de l'affiche et de la phrase d'introduction au dialogue. Elle permettra d'éclairer le mystère des déguisements.

Le Carnaval : défilé de chars décorés sur lesquels se tiennent des personnages costumés et quelquefois masqués. Ces chars représentent des tableaux historiques ou des scènes de l'actualité. (Le char des jeunes de Broussac met en scène les personnages et les lieux des bandes dessinées d'Astérix.) Le Carnaval a lieu dans certaines villes mais aussi dans de nombreux villages. Les chars sont réalisés par des groupes de jeunes gens et lors du défilé, un jury récompense la meilleure réalisation (c'est le concours de chars). Les défilés de Carnaval ont surtout lieu dans le Sud de la France, à l'époque du Mardi-Gras.

Mardi-Gras : fête située en février ou en mars. Pour les chrétiens, c'est la fête qui précède le début du Carême. Pour tous, c'est une fête populaire qui trouve ses origines dans l'Antiquité. Les enfants se déguisent et mettent des masques. On donne des bals masqués. On fait aussi « sauter des crêpes », bien que la tradition place la coutume des crêpes le jour de la Chandeleur (2 février).

Compréhension du dialogue :
• Présenter les verbes *se dépêcher* et *s'asseoir.*
• Demander aux étudiants de lire le dialogue et d'imaginer la scène :
    —à qui parle-t-il en nommant Jules César, Astérix et Obélix ?
    —qui est absent ?
    —pourquoi est-ce une catastrophe ?
    —quelle est l'idée de Jean-Pierre ?
• Jouer la scène en illustrant le discours de Jean-Pierre avec une gestuelle appropriée.

VOCABULAIRE ET GRAMMAIRE

La position
Présenter ce vocabulaire par l'illustration et le mime.

L'impératif
L'impératif a déjà été vu en partie en I 4. Observer les tableaux de conjugaison et faire les remarques nécessaires sur l'orthographe de la 2e personne du singulier.
Faire les exercices de mécanismes ainsi que les exercices 1, 2, 3.

ACTIVITÉS

Phonétique et Mécanismes

- Opposition [f] - [v]
- Exercices de transformation : *les verbes pronominaux à la forme impérative.*

<table>
<tr><td rowspan="2">Transcription</td><td colspan="2">

Phonétique
Répétez !
Il ne veut pas finir le veau. (...)
Le dentifrice est sur le lavabo, à côté du savon. (...)
Il faut vite se lever. (...)

</td></tr>
<tr><td>

Mécanismes
Exercice 1
Écoutez !
Maintenant, tu t'assieds ! → Assieds-toi !
Maintenant, vous vous reposez ! → Reposez-vous !

À vous !
Maintenant, tu t'assieds ! (...) Assieds-toi !
Maintenant, vous vous reposez ! (...) Reposez-vous !
Maintenant, nous nous habillons ! (...) Habillons-nous !
Maintenant, tu te laves ! (...) Lave-toi !
Maintenant, vous vous asseyez ! (...) Asseyez-vous !

</td><td>

Je finis de visiter le musée. (...)
Ils vont téléphoner. (...)
Je vais au travail. Je fais mon travail. (...)

Exercice 2
Écoutez !
Tu te lèves à 8 h ! → Ne te lève pas à 8 heures !
Vous vous couchez tard ! → Ne vous couchez pas tard !

À vous !
Tu te lèves à 8 h ! (...) Ne te lève pas à 8 heures !
Vous vous couchez tard ! (...) Ne vous couchez pas tard !
Tu te réveilles à 10 h ! (...) Ne te réveille pas à 10 heures !
Vous vous dépêchez ! (...) Ne vous dépêchez pas !

</td></tr>
</table>

Exercices

EX. 1, P. 92

Ne te couche pas tard !
Lève-toi vite !
Dépêchez-vous !

Ne vous asseyez pas ici !
Réveillons-nous à 6 h !
Lève-toi à 7 h !

EX 2, P 92
Image pour jeux de rôles qui permettront le réemploi de l'impératif.
  1. Le photographe place les personnes qu'il va photographier.
« Pierre ! Tu es derrière Jacques. Mets-toi à côté ! Martine ! Lève-toi ! ... »
On peut :
— faire jouer la scène ;
— demander aux étudiants ce que le photographe doit dire pour placer les gens correctement. (Il est alors nécessaire de donner un nom à chacune des personnes.)
  2. On va bientôt tourner la scène. Le metteur en scène place les acteurs (imitation du dialogue).

EX 3, P 92
Exercice d'écoute à faire avec la cassette.
Le photographe place huit personnes dans le décor représenté p. 92.

Il s'agit d'indiquer sur le dessin la place de chaque personne en écrivant l'initiale de son nom.
« André, assieds-toi sur le banc, du côté de la chaise ... » → On marque A à l'endroit indiqué.
(Faire préalablement recopier le dessin schématiquement.)

	« André, assieds-toi sur le banc, du côté de la chaise. Très bien. Béatrice, assieds-toi à la droite d'André ! Bon, maintenant, Claude, reste debout et mets-toi entre l'arbre et le banc ! Denise, assieds-toi sur la chaise !	Elisabeth, mets-toi derrière le banc ! Florence, mets-toi entre le banc et la chaise à la droite de Denise ! Gérard, assieds-toi par terre devant André et Béatrice ! Henri, mets-toi derrière Denise ! »

EX 4, P 92

Raconter ce qui a pu se passer entre le moment où les jeunes gens décident de faire appel à M. Martin et le moment où celui-ci se déguise.
Imaginer et rédiger le dialogue entre Jean-Pierre et M. Martin : Jean-Pierre essaie de convaincre M. Martin de jouer le rôle d'Obélix. M. Martin est surpris et refuse... Mais Jean-Pierre insiste... Imaginer ses arguments.

EX 5, P 93

Page d'information sur les principales fêtes en France.
Diviser la classe en 8 groupes, chacun prenant en charge une fête.
Chaque groupe prépare une présentation informative de la fête et un commentaire sur les éventuelles différences entre la tradition française et celle de son pays.
Mise en commun et discussion.

OBJECTIFS

Vocabulaire	Grammaire
• vocabulaire de la cuisine (voir p. 91) • il faut - devoir	• constructions il faut + nom il faut + verbe • conjugaison de devoir
Phonétique	Communication
• Les sons [k] et [g]	• Donner des ordres et des directives • Lire une recette de cuisine

DIALOGUE ET DOCUMENTS

Il est recommandé de commencer par la rubrique « Vocabulaire et grammaire ».
• Observation de l'image. Faire des hypothèses sur le contenu de la conversation.
• Écoute et lecture silencieuse du dialogue.
• Compréhension :
    — rechercher ce que prépare Mme Lavigne,
    — retrouver dans le texte le nom des produits qui sont sur la table.

VOCABULAIRE ET GRAMMAIRE

Il faut - Devoir
Présenter le contenu de la rubrique de la p. 90 et faire utiliser ces verbes dans des exemples :
« Qu'est-ce qu'il faut pour écrire, se laver, écouter une cassette, etc. ?
Qu'est-ce qu'il faut faire pour aller de Paris à New York, etc. ?
Qu'est-ce que vous devez faire en classe, en voiture, etc. ? »

Donner des ordres - Interdire
Présenter les situations et les diverses formes qui permettent de donner des ordres et d'interdire.

La cuisine
Présentation du vocabulaire sous forme de conversation dirigée.

Recette des crêpes
L'idéal serait de préparer réellement des crêpes tout en déchiffrant la recette. À défaut, dessiner les ingrédients au tableau et mimer les opérations successives.

ACTIVITÉS

Phonétique et Mécanismes

- Opposition [k] - [g].
- Exercice de transformation pour l'emploi du verbe *devoir*.

Transcription

Phonétique
Répétez !
C'est Mardi-Gras. On fait un gâteau ou des crêpes ? (...)
Écoutez cette musique. C'est un disque de Nicolas Legrand. (...)
Une guitare, c'est un beau cadeau ! (...)
Qui joue de la guitare ? (...)
Il regarde le défilé du Carnaval. (...)
Cette cravate est gratuite. (...)

Mécanismes
Écoutez !
Goûtez ce bœuf bourguignon !
Vous devez goûter ce bœuf bourguignon.
Dépêchez-vous !
Vous devez vous dépêcher.

À vous !
Goûtez ce bœuf bourguignon ! (...)
Vous devez goûter ce bœuf bourguignon.
Ajoutez du sel ! (...)
Vous devez ajouter du sel.
Attendons 5 minutes ! (...)
Nous devons attendre 5 minutes.
Mets ton manteau ! (...)
Tu dois mettre ton manteau.
Préparons-nous ! (...)
Nous devons nous préparer.
Levez-vous à 8 heures ! (...)
Vous devez vous lever à 8 heures.
Dépêchez-vous ! (...)
Vous devez vous dépêcher.
Réveille-toi de bonne heure ! (...)
Tu dois te réveiller de bonne heure.

Exercices

EX. 6, P. 94
Exercice de réemploi de *il faut* et *devoir*.

EX. 7, P. 94

Je dois manger.
Tu dois nettoyer tes vêtements.
Nous devons chercher un logement (louer..., acheter...).

Il doit faire un régime.
Elles doivent se reposer.
Vous devez visiter la Bourgogne.

EX. 8, P. 94

Il ne faut pas faire de feu.
Il ne faut pas tourner à droite.

Il ne faut pas faire de bruit.
Il faut faire attention.

Il ne faut pas prendre de photos.   Il ne faut pas travailler.
Il ne faut pas tourner à gauche.

EX. 9, P. 94
À préparer en petits groupes :
— dessiner les ingrédients (lait - beurre, etc.) et les ustensiles (casserole - rape à gruyère - four, etc.)
— présenter la recette en s'appuyant sur le mime et les dessins.

EX. 10, P. 95
Casser cinq œufs dans un bol.   Verser les champignons.
Ajouter un peu de lait.   Faire cuire quelques minutes.
Battre les œufs.   Verser les œufs dans la poêle.
Mettre un morceau de beurre dans une poêle. Servir.

OBJECTIFS

Vocabulaire	
• *des félicitations - un prix* (récompense) - *une scène - un rôle* • *parfait* • *mériter* • *bravo !*	

Phonétique	*Communication*
• la liaison	• féliciter • exprimer son enthousiasme

DIALOGUE ET DOCUMENTS

Il est recommandé de commencer par la rubrique « Vocabulaire et grammaire ».
L'article de presse
• Observer l'image. Reconnaître le char d'Astérix et les personnages de la bande dessinée. Identifier les autres déguisements (des personnages du Moyen Âge auprès d'un château-fort). Imaginer ce que représentent les immenses bouteilles (les vins de Bourgogne).
Compréhension de l'article :
• Présenter et exploiter : le vocabulaire de théâtre (*scène - costumes - rôle - acteur*).
• Relever toutes les expressions laudatives (*félicitations* - les chars sont *excellents*, etc.)

VOCABULAIRE ET GRAMMAIRE

Féliciter - Dire son enthousiasme
Expliciter la situation : un homme félicite une jeune fille qui vient de passer un concours de théâtre.
Reconnaître les expressions déjà vues. Expliquer et traduire les autres (*c'est super* est une expression familière à la mode dans les années 80).

ACTIVITÉS

Phonétique et Mécanismes

● Les liaisons.
Après une première répétition, écrire les phrases au tableau et marquer les liaisons.
● Exercice de transformation. Passage de l'impératif à la forme *il faut + infinitif*.

<table>
<tr><td rowspan="2">Transcription</td><td>

Phonétique
Répétez !
C'est intéressant ! (...)

C'est excellent ! (...)

Elle habite au premier étage. (...)

Nous avons faim. Nous allons dîner. (...)

Cette année, les haricots sont excellents ! (...)

Mes amis sont en Italie. (...)

Mécanismes
Écoutez !
Goûtez ce bœuf bourguignon !
Il faut goûter ce bœuf bourguignon.
Dépêchez-vous !
Il faut vous dépêcher.

</td><td>

À vous !
Goûtez ce bœuf bourguignon ! (...)
Il faut goûter ce bœuf bourguignon.
Versez un peu de lait ! (...)
Il faut verser un peu de lait.
Ne partons pas ! (...)
Il ne faut pas partir.
N'achetez pas cette robe ! (...)
Il ne faut pas acheter cette robe.
Dépêchez-vous ! (...)
Il faut vous dépêcher.
Levez-vous tôt ! (...)
Il faut vous lever tôt.
Ne vous réveillez pas à 11 heures ! (...)
Il ne faut pas vous réveiller à 11 heures.
Ne vous asseyez pas ! (...)
Il ne faut pas vous asseoir.

</td></tr>
</table>

Exercices

EX. 11, P. 95
Jeu de rôles. Un couple félicite un acteur à la fin du spectable.
Les félicitations pourront porter sur la pièce, les décors, le costume, le jeu de l'acteur.

EX. 12, P. 95
Il s'agit de rédiger deux courtes lettres de félicitations.
1. à Isabelle Dulac qui a remporté le premier prix au salon des jeunes artistes avec son tableau *Repas en Bourgogne*.
La lettre pourra commenter le décor (une cuisine bourguignonne), les personnages, les couleurs, etc.
2. à Valérie Florentine qui vient de publier un recueil de ses interviews.
On pourra admirer la quantité, la précision des portraits, l'humour de l'écrivain, etc.
(Les auteurs de ces lettres sont supposés connaître les personnes auxquelles ils écrivent.)

BILAN

UNITÉ 2

CORRIGÉ DES EXERCICES

Vous savez...
1. *... montrer*
a) Regarde cette robe, ce sac, cette écharpe, ces chaussures, ce manteau!
b) Je voudrais cette cravate, ce chapeau, cette veste, ce pantalon, cette chemise.

2. *... présenter des quantités*
« Aujourd'hui, en entrée, il y a du pâté de campagne ou de la salade de tomates, ensuite vous pouvez choisir entre une omelette, des escargots de Bourgogne et du poulet aux champignons. Pour le dessert, il y a du fromage, des fruits ou des glaces. »

• *Commander votre repas. Rédiger le dialogue*
« — Bonjour Madame. Voici le menu. Comme entrée nous avons du pâté de campagne ou de la salade de tomates.
— Je prends une salade de tomates.
— Etc. »

• *Complétez avec l'article qui convient*
Pour boire, il y a *du* jus d'orange. Est-ce que vous aimez *le* jus d'orange?
M. Martin aime *le* calme mais il y a *du* bruit près de l'aéroport de Paris.
Je voudrais *des* pommes de terre. Combien coûte *le* (*un*) kilo de pommes de terre?
Je sais faire *les* (*des*) crêpes. Il faut *des* œufs, *de la* farine, *du* lait.

• *Complétez avec un peu de, quelques, beaucoup de*
À Paris, il y a *beaucoup de* cafés. Je n'aime pas beaucoup le sucre. Dans mon café, je mets *un peu de* sucre. Elle n'est pas grosse mais elle pèse 70 kg. Elle doit perdre encore *quelques* kilos. Je suis un peu fatigué. Je vais me reposer *quelques* minutes. Je n'ai pas très faim. Je vais manger *un peu de* fromage et un fruit.

3. *... exprimer l'appartenance*
C'est son pull-over - C'est leur voiture - C'est ta brosse à dents - Ce sont nos clés - C'est votre écharpe - Ce sont mes livres - C'est sa cassette - Ce sont ses disques.

4. *... raconter*
À 8 h   - Mme X se réveille. M. X sort du bureau et rentre chez lui.
À 8 h 30 - Mme X se lave (fait sa toilette). M. X arrive.

À 9 h   - Mme X prend son petit déjeuner. M. X prend une douche.
À 10 h   - Mme X travaille. M. X dort.
À 18 h   - Mme X sort du bureau et rentre chez elle. M. X se réveille.
À 18 h 30 - Mme X arrive chez elle. M. X part travailler.

5. *... décrire des lieux*
• *Les objets*
lit (chambre) - casserole (cuisine) - brosse à dents (salle de bains) - armoire (chambre) - fauteuil (salon) - lampe (chambre, salon, salle à manger, etc.) - tapis (chambre, salon).
• *La maison*
C'est une villa d'un étage. Au rez-de-chaussée, il y a un grand salon, à droite de l'entrée et, à gauche de l'entrée, la cuisine, les toilettes et un escalier vers le 1er étage. Au 1er étage, il y a trois chambres, un bureau et une salle de bains.

6. *... donner des ordres, des conseils*
• *Les phrases*
Ne partez pas!   N'arrive pas tard!
Lave-toi!   Arrive à l'heure!
Ne vous dépêchez pas!   Levez-vous à 8 h!
Habillons-nous!
• *Les dessins*
Levez-vous! - Asseyez-vous! - Couchez-vous! - Ne buvez pas! - Ne prenez pas de photos! - N'entrez pas (N'ouvrez pas la porte)!
Également possibles les formes avec *il faut* ou *devoir*:
Levez-vous! - Il faut vous lever! - Vous devez vous lever.

7. *... conjuguer*
M. et Mme Martin *achètent* ... - Dans la nuit, Mme Martin *entend* ...
Nous *descendons* ... - Nous devons *nettoyer* ... - Je *cherche* ma montre ...
Tu *joues* ... - Vous *avez* faim ... - Est-ce que je peux *essayer* ...

8. *... acheter*
« Je voudrais une lampe.
— Pour mettre dans quelle pièce? Le salon?

— Non, la chambre.
— Venez ! Choisissez ! Regardez cette lampe bleue !
Etc. »

9. ... Interroger

Où est mon sac ?

Quelle jupe préférez-vous ?

Qu'est-ce que vous choisissez ?

Combien ça coûte ?

À qui est ce stylo ?

Comment est votre appartement ?

Vous ne prenez pas de glace ?

Qu'est-ce que vous lisez ?

10. ... utiliser les pronoms avec l'impératif

• ... M. Martin se déguise avec *eux*.
• ... Tu veux bien chercher avec *moi*.
• ... Assieds-toi aussi à côté d'*elle*.

• ... Je choisis une cravate pour *lui*.
• ... Venez dîner chez *nous*.
• ... Je peux venir avec *vous*.

11. ... classer

• Tu fais quelque chose ce soir ? Non, *je ne fais rien*.
Tu cherches quelque chose ? Non, je ne cherche rien.
Il y a quelqu'un en bas ? Non, *il n'y a personne*.
Vous écrivez à quelqu'un ? Non, je n'écris à personne.
• *Classez-les*
André est dernier - Bernard est quatrième - Claude est cinquième - Didier est troisième - Gérard est premier - Henri est deuxième.

12. ... féliciter

Même type de lettre que celles qui auront été faites dans l'exercice 12, p. 95.

COMMENTAIRE DES ILLUSTRATIONS
(pp. 100 et 101)

• Carte physique de la France.
Carte de référence comportant les noms des mers et océans, des montagnes, des grandes plaines, des fleuves et rivières, ainsi que de certaines villes et régions.

• Un village de Haute-Provence *(Puimoisson)*. *La Haute-Provence correspond au Sud des Alpes et se situe au nord-ouest de Nice. On remarquera l'aspect compact du village avec ses maisons serrées autour de l'église. Comme la plupart des villages de Haute-Provence, il est construit sur les flancs d'une colline et domine la campagne environnante.*
Remarquer aussi les toits de tuiles rondes (tuiles romaines) et les petites ouvertures (protection contre la chaleur de l'été). Au premier plan, un champ de lavande. La lavande est une plante aromatique qui entre dans la composition des parfums. L'industrie de la parfumerie est très importante dans la région (les distilleries se trouvent dans la ville de Grasse).

• Vignoble en Bourgogne *(à Premeaux - Prissey)*.
Noter un habitat différent de celui qu'on a vu dans l'image précédente. Les maisons sont de grandes bâtisses aux toits d'ardoise. On aperçoit également un château.
Le vignoble bourguignon produit des vins de très grande qualité et qui sont connus et exportés dans le monde entier.

• La cathédrale de Strasbourg.
Strasbourg est la métropole intellectuelle et économique de l'Alsace. C'est aussi le siège du Conseil de l'Europe.
La cathédrale est en grès rouge et a été construite entre le XIe et le XIVe siècle. Elle contient de célèbres sculptures gothiques, des vitraux et des tapisseries.
On remarquera aussi l'architecture des maisons qui l'entourent, notamment une façade à colombage (le mur est fait d'une charpente de bois dont les vides sont garnis d'une maçonnerie légère).

• Le quartier de la Petite France à Strasbourg.
La vieille ville de Strasbourg s'étend sur une île formée par les deux bras d'une rivière, l'Ill.
Sur cette photo, un des quartiers les plus pittoresques et le mieux conservé du vieux Strasbourg. C'était autrefois le quartier des pêcheurs, des tanneurs et des meuniers.
Remarquer la forme incurvée des toits de tuiles brunes, les éléments apparents de charpente sur certains édifices, la verdure et la beauté des reflets dans l'eau calme de la rivière.

• La Plagne.
Station de sports d'hiver créée en 1961 en Savoie (Alpes du Nord).
On aperçoit à droite un téléski et au centre une agglomération de chalets construits spécialement pour les touristes et bénéficiant d'un maximum d'ensoleillement.

Leçon 1

OBJECTIFS

Vocabulaire	Grammaire
• l'entreprise (p. 106) • le téléphone (p. 107) • *une étagère - une lettre* • *textile - prêt - possible - impossible* • *donner - envoyer - demander - répondre*	• le pronom objet indirect avec un verbe à l'impératif « donnez-moi / lui / nous / leur »
Phonétique	Communication
• le son [t] et le son [d]	• actes relatifs à la conversation téléphonique (prendre contact - demander de patienter, de rappeler, etc.) • lire un organigramme

Civilisation

• Connaissance de l'entreprise : services - personnels.

DIALOGUE ET DOCUMENTS

Observation de l'image et lecture de la phrase d'introduction. Faire des hypothèses sur le rôle des personnages et sur la situation de communication.

Écoute du dialogue
• Repérer les personnes auxquelles s'adresse M. Dupuis et chercher leur fonction dans l'organigramme :
— au téléphone : M. Fontaine (extérieur à l'entreprise). M. Richard (chef de la comptabilité) ;
— directement : Nicole (secrétaire de direction) - une secrétaire (peut-être Valérie Grand) - une autre secrétaire.
• Schématiser la conversation (au tableau) en traçant des flèches en direction du nom des personnages. Analyser le dialogue par fragments en notant ce que M. Dupuis dit à chacun de ses interlocuteurs. Présenter et expliquer les difficultés.

Société Frantexport
La plupart des termes seront transparents pour des locuteurs dont la langue est proche du français. Montrer la hiérarchie : chef - directeur - P.D.G. Expliquer la fonction de chaque service.

Les industries textiles françaises sont concentrées dans la région du Nord, l'Alsace et la région lyonnaise (cette dernière réalise 100 % des soieries). Malgré sa modernisation, l'industrie textile française souffre de la concurrence étrangère qui, disposant d'une main-d'œuvre bon marché, exporte des produits très compétitifs. La petite industrie de luxe a été moins touchée par la crise.

VOCABULAIRE ET GRAMMAIRE

Présentation et animation des rubriques « l'entreprise » et « le téléphone ».
Le pronom objet indirect avec un verbe à l'impératif.
Expliquer la notion d'objet indirect. Donner la liste des verbes qui ont un complément introduit par la préposition *à* (voir p. 107). Montrer qu'ils ont un sens attributif ou communicatif.
Donner des exemples de substitution.
Remarquer que *lui* et *leur* peuvent représenter un masculin ou un féminin.

ACTIVITÉS

Phonétique et Mécanismes

- Opposition [t] - [d].
- Exercice de substitution pronominale : *lui / leur*.

<table>
<tr><td rowspan="2">Transcription</td><td>

Phonétique
Répétez !
On demande Monsieur Fontaine au téléphone. (...)
Mettez ce contrat dans le dossier vert ! (...)
Monsieur Dupuis dirige l'entreprise Frantexport. (...)
Mettez des tomates dans la salade ! (...)
Il attend dans la cour. (...)
Tu étudies le français ? (...)

Mécanismes
Écoutez !
Écris à Sylvie ! ⟶ Écris-lui !
Téléphonons à nos amis ! ⟶ Téléphonons-leur !

</td><td>

À vous !
Écris à Sylvie ! (...) Écris-lui !
Téléphonons à nos amis ! (...) Téléphonons-leur !
Écrivez à Pierre et à Marie ! (...) Écrivez-leur !
Donnez ce livre à Michel ! (...) Donnez-lui ce livre !
Offrez un cadeau aux enfants ! (...) Offrez-leur un cadeau !
Demandons l'explication au professeur ! (...) Demandons-lui l'explication !
Téléphone à Sylvie ! (...) Téléphone-lui !
Répondez à Pierre et à Marie ! (...) Répondez-leur !

</td></tr>
</table>

Exercices

EX. 1, P. 108

Écrivez-lui - Téléphonez-leur - Dis-lui bonjour - Offrons-lui un cadeau - Envoie-lui un télégramme - Téléphonez-moi à huit heures.

EX. 2, P. 108

Deux démarches possibles.
a) L'enseignant joue le rôle de la personne qui téléphone. Il fera en sorte de demander un rendez-vous dans les créneaux horaires où M. Dupuis est occupé.
Les étudiants jouent tour à tour le rôle de la secrétaire. Ils doivent produire des réponses du type :
« Non, je suis désolée, mercredi à 17 h, M. Dupuis est occupé, il signe un contrat avec des Italiens. Après, il a un cocktail au Concorde ».
Les étudiants rédigent ensuite individuellement un dialogue possible.
b) Les étudiants sont par deux. L'un joue le rôle de la secrétaire. L'autre joue le rôle du secrétaire d'un client de M. Dupuis. Il doit essayer d'obtenir un rendez-vous aux jours et heures suivants :
— lundi à 9 h ou à 15 h ;
— mardi à 17 h ;
— jeudi à n'importe quelle heure ;
— mercredi entre 14 h et 18 h.
En fonction de ces contraintes, il interroge son partenaire (le seul moment où M. Dupuis et son client sont libres en même temps, c'est mercredi de 14 h à 16 h) et fixe le rendez-vous.
Les étudiants rédigent ensuite leur dialogue.

EX. 3, P. 108

Suggestion pour des jeux de rôles plus libres que le précédent : les étudiants se mettent par deux, choisissent (ou tirent au sort) un sujet et disposent ensuite d'une quinzaine de minutes pour préparer leur scène. Les conversations téléphoniques sont ensuite jouées devant la classe.

EX. 4, P. 109

Six photos représentant six différents services d'une imprimerie :
- le P.D.G. et ses chefs de service examinent un projet ;
- la réception - le standard téléphonique et le secrétariat ;
- l'atelier de fabrication ;
- la salle des rotatives ;
- emballage et expédition.

Identifier l'entreprise.

Examiner chaque image en identifiant le service et la fonction des personnes.

Faire appel à l'expérience des étudiants pour présenter d'autres entreprises.

OBJECTIFS

Vocabulaire	Grammaire
• le courrier (p. 106) • *en colère - de bonne/mauvaise humeur - plein/vide* • *attendre - manquer* (verbe impersonnel : il manque un paragraphe) - *marcher* (fonctionner)	• le pronom objet direct avec un verbe à l'impératif « Donnez-le - prenez-le - faites-le » • le préfixe *re* (répétition de l'action) : *relire - refaire*
Phonétique	Communication
• le son [l]	• réprimander - donner des ordres

DIALOGUE ET DOCUMENTS

• Écoute et observation de l'image.

Remarquer le ton courroucé de M. Dupuis, l'attitude embarrassée de Stéphanie, les visages étonnés des autres secrétaires.

• Analyser ce dialogue par séquences :
— la réprimande et l'ordre de M. Dupuis ;
— la justification de Stéphanie ;
— la colère de M. Dupuis ;
— la soumission de Stéphanie ;
— le commandement plutôt discourtois à Nicole ;
— la remarque ironique de Stéphanie.

Commenter le caractère de M. Dupuis et les réactions de Stéphanie.

Jouer le dialogue.

VOCABULAIRE ET GRAMMAIRE

Le courrier
Présenter le vocabulaire de cette rubrique.
Introduire également par des exemples concrets *plein / vide* (la boîte est pleine - le livre est plein d'images).

Le pronom objet direct avec un verbe à l'impératif
Même travail que celui qui a été fait pour l'objet indirect dans la séquence A.
Présenter et commenter le tableau de la p. 107.

Le préfixe -*re*
Montrer qu'il ne s'agit pas d'une règle de dérivation.
Refaire, redire, relire, revoir, expriment la répétition mais dans d'autres cas le préfixe *re* change le sens et l'emploi du verbe (chercher/rechercher - entrer/rentrer).

ACTIVITÉS

Phonétique et Mécanismes

- Le son [1].
- Exercice de transformation pour la production des pronoms objets directs *le, la, les*.

Transcription

Phonétique
Répétez !
Arriver à l'heure, c'est difficile ! (...)
C'est elle ! Qu'elle est belle ! (...)
Refaites la lettre et relisez-la ! S'il vous plaît ! (...)
Allô ! Mademoiselle Florentini ? (...)
Lisez le journal de lundi ! (...)
Tout le personnel est dans le bureau du P.D.G.. (...)

Mécanismes
Écoutez !
Écoute Sylvie ! ⟶ Écoute-la !
Invitons nos amis ! ⟶ Invitons-les !

À vous !
Écoute Sylvie ! (...) Écoute-la !
Invitons nos amis ! (...) Invitons-les !
Regardez ces arbres ! (...) Regardez-les !
Appelle Jacques ! (...) Appelle-le !
Signez cette lettre ! (...) Signez-la !
Préparons le repas ! (...) Préparons-le !
Nettoie tes vêtements ! (...) Nettoie-les !
Vendez votre maison ! (...) Vendez-la !

Exercices

EX. 5, P. 109

Félicitons-les.
Corrige-la.
Signez-le.

Attendons-le.
Visitez-la.
Goûtez-le.

EX. 6, P. 110

Activité de compréhension écrite. Il s'agit de repérer le paragraphe manquant.
Identifier destinateur et destinataire.
Analyser les trois paragraphes.
1. M. Dupuis reçoit la candidature de Pierre Martin à un poste de chef de publicité.
2. Il trouve le curriculum vitae excellent.
3. C'est la formule de politesse qui fait référence à un rendez-vous.
Le paragraphe manquant est celui qui fixe le rendez-vous.
Rédigez ce paragraphe collectivement (l'aide de l'enseignant sera nécessaire).
« Je souhaiterais vous rencontrer à mon bureau, mercredi à ... »
4. Si les étudiants le souhaitent, on pourra donner quelques formules de salutations passe-partout.
« Recevez, Monsieur (Madame), mes (sincères) salutations.
Veuillez agréer l'expression de mes sentiments les meilleurs ».

EX. 7, P. 110

Présenter la situation. Mme Grand, secrétaire de M. Dupuis, doit rester très tard au bureau. Elle ne pourra donc pas s'occuper des tâches quotidiennes qu'elle avait prévu de faire. Elle rédige un message à l'intention de son mari pour qu'il s'en charge.

« Peux-tu aller chercher les enfants à l'école à 17 h ?

Donne-leur du pain et du chocolat.

Téléphone à ...

Va acheter ... »

Rechercher sous forme de brain-storming tout ce que M. Grand devra faire.

Rédiger individuellement le message.

EX. 8, P. 110

Deux situations de jeux de rôles pour l'expression de la réprimande et de la plainte.

1. Chez le tailleur, un homme essaie une veste qui ne lui va pas du tout (manches trop courtes ou trop longues - un côté plus long que l'autre - absence de poche du côté droit).

2. Le professeur réprimande l'élève. Elle a fait des taches. Elle fait des fautes (imitation du dialogue).

EX. 9, P. 110

Conjugaison des verbes nouveaux.

Ils reçoivent...   Nous envoyons...   Tu réponds...   Je vais chercher...   Elle attend...

OBJECTIFS

Vocabulaire	Grammaire
• *un problème* • *nerveux - désagréable* • *attendre* un bébé (= être enceinte) - *marcher* (aller bien)	• répétition et continuation de l'action : *encore / ne ... plus*
Phonétique	*Communication*
• le son [r]	• décrire un état psychologique • se plaindre

DIALOGUE ET DOCUMENTS

• Observer l'image. Décrire l'activité de M. Martin. Observer l'heure tardive, son attitude négligée, son aspect fatigué et tendu (introduire *nerveux* et *désagréable*).

• Lecture individuelle de la lettre avec pour tâches :
— à qui écrit M. Dupuis ?
— objet de la lettre ;
— justifications : — que dit-il de son entreprise ?
                 — que dit-il de lui ?

Expliquer *marcher* = a) se déplacer à pied - b) fonctionner - c) aller bien/mal - (ça marche bien/mal).
— *Attendre un bébé.* Comparer avec le sens général d'attendre.

• Imaginer. Rédiger. Jouer :
— la lettre d'invitation envoyée par M. Rigaud à M. Dupuis ;
— la conversation entre M. et Mme Rigaud lorsqu'ils reçoivent la lettre de M. Dupuis.

VOCABULAIRE ET GRAMMAIRE

La répétition de l'action
Attention! Le sens des adverbes *encore / ne ... plus* peut être :
1. répétition ou arrêt de l'action (encore une fois) :
Il prend encore du fromage - Il ne prend plus de fromage.
2. continuation ou arrêt de l'action (= toujours) :
Il habite encore à Paris - Il n'habite plus à Paris.
3. quantité restante ou non restante :
Il y a encore du gâteau - Il n'y a plus de gâteau.
On examinera le sens 1 dans cette leçon, le 2 en III 2, le 3 en III 4.

Personne ne / rien ne
Ces pronoms ont été vus en position de complément en II 3.
Examiner leur construction en position sujet.

ACTIVITÉS

Phonétique et Mécanismes

● Le son [r].
La production d'un [R] roulé ne constitue pas une faute car elle ne gêne pas la compréhension.
L'essentiel est d'éviter l'élision du son (arrêter → [a e t e]) ou la production d'un [l] → ([a l e t e]).
● Exercice sur l'utilisation de *encore* et *ne ... plus.*

<table>
<tr><td rowspan="2">Transcription</td><td>

Phonétique
Répétez !
Elle a une robe rouge. (...)
Il arrive en retard. (...)
Monsieur Dupuis ne dort plus. Il ne sort plus. (...)
Il y a du courrier sur votre bureau. (...)
Derrière la ferme, il y a une jolie rivière. (...)
Il faut lire et relire ce roman. (...)

Mécanismes
Écoutez !
Il écrit encore à Nicole ? Oui.
Oui, il écrit encore à Nicole.
Il écrit encore à Annie ? Non.
Non, il n'écrit plus à Annie.

</td><td>

À vous !
Il écrit encore à Nicole ? Oui (...)
Oui, il écrit encore à Nicole.
Elle chante encore à l'Olympia ? Non (...)
Non, elle ne chante plus à l'Olympia.
Il fait encore du tennis ? Oui (...)
Oui, il fait encore du tennis.
On joue encore « Les Femmes Savantes » ? Non (...)
Non, on ne joue plus « Les Femmes savantes ».
Elle va encore dans les discothèques ? Non (...)
Non, elle ne va plus dans les discothèques.
Il sort encore le soir ? Non (...)
Non, il ne sort plus le soir.

</td></tr>
</table>

Exercices

EX. 10, P. 111

● Il ne mange plus. Il ne dort plus.
● Elles ne travaillent plus.
Elles n'apprennent plus.
● On ne joue plus cette pièce.

● Vous préparez des crêpes.
● Il va encore au théâtre.
● Il demande encore une bière.
● Il ne dort plus.

EX. 11, P. 111

Il reprend du poulet.
Elle redemande une explication.

Elle met encore sa robe bleue.
Il dit encore merci.

EX. 12, P. 111

Exercice d'écoute à faire avec la cassette.

Repérer les personnes dont parle M. Dupuis. Indiquer leur nom et leur fonction (en s'aidant de l'organigramme de la p. 104).

Écouter successivement ce que M. Dupuis dit de chacun de ses employés et remplir progressivement le tableau.

« Ah ! j'ai des problèmes avec mon personnel ! Tenez : Marie Delort, elle est chef de publicité ; c'est une femme intelligente, dynamique, souriante, elle a beaucoup de qualités, eh bien, elle est encore absente, elle attend encore un bébé. C'est le quatrième ! Jacques Arnaud, mon chef des ventes, c'est vrai, c'est vrai, il n'est pas très souriant et pas très amusant, mais il est travailleur, sérieux et compétent, eh bien, il est malade. Et je ne parle pas de la nouvelle dactylo. C'est une catastrophe ! Elle a une qualité : elle est jolie ! Mais c'est tout, elle fait trois fautes par ligne, elle arrive en retard le matin et elle passe son temps à téléphoner à des amis...

Ah ! bien sûr ! J'ai Nicole Barbier, ma secrétaire. C'est une femme formidable, elle n'a pas de défauts, sérieuse, compétente, elle fait tout, sans elle, tout s'arrête. Je l'adore ! Remarquez, j'adore aussi Jean-Pierre Brun et il n'a pas toutes les qualités, lui ! Il n'est pas très travailleur, il bavarde beaucoup avec les employés, mais il est tout le temps de bonne humeur, il est décontracté et très amusant. »

Nom	Fonction	Défauts	Qualités	Autres observations
1. Marie Delort	Chef de publicité	souvent absente	intelligente dynamique souriante	attend un bébé
2. Jacques Arnaud	Chef des ventes	pas très souriant ni amusant	travailleur sérieux - compétent	malade
3. Stéphanie Roux	Dactylo	incompétente paresseuse	jolie	une catastrophe !
4. Nicole Barbier	Secrétaire		sérieuse compétente	elle a un rôle très important
5. Jean-Pierre Brun	Chef de la production	un peu paresseux bavard	amusant décontracté	

EX. 13, P. 111

Activité de créativité. Imaginer les problèmes que peuvent avoir ces personnes.

   1. L'homme mal rasé, tendu, fatigué, qui semble avoir des idées noires → Il n'a plus d'argent. Il ne dort pas. Il est malade. Il est au chômage, etc.

   2. La fillette. Elle ne comprend pas. Elle ne sait pas faire le problème.

EX. 14, P. 111

Imaginer que Nicolas a des problèmes. Faites l'inventaire (en commun ou par petits groupes) de tous les problèmes qu'il peut avoir.

- problèmes professionnels. Il n'a plus de concert. Ses disques ne se vendent pas ;
- problèmes d'argent. Son portefeuille a été volé. Son appartement a été cambriolé ;
- problèmes sentimentaux. Valérie Florentini ne l'aime plus...

Nicolas Legrand se confie à son ami Roland. Rédiger la lettre.

- État psychologique.
- Cause de cet état.
- Nouveaux projets pour résoudre ces problèmes.

Leçon 2

OBJECTIFS

Vocabulaire	Grammaire
• la description du visage (voir p. 114) • *une disparition - une enquête - un mystère* • *surpris - inquiet - absent - introuvable* • *d'habitude - souvent - toujours/jamais* • *partout*	• l'expression de l'habitude (voir p. 114) • le pronom d'insistance
Phonétique	Communication
• intonation du pronom d'insistance	• décrire, caractériser un visage • exprimer l'habitude

Civilisation
• Portrait de peintres français (ou ayant travaillé en France): Clouet - Van Gogh - Modigliani - Buffet

DIALOGUE ET DOCUMENTS

Dans un premier temps et avant de procéder à l'explication, on fera observer et lire la page 112, puis écouter le dialogue correspondant. Les étudiants doivent être en mesure de découvrir l'information essentielle : la disparition de M. Dupuis, et de suivre la progression de l'événement.

— 1er avril : M. Dupuis est absent. Ce n'est pas son habitude.

— 4 avril : l'absence devient un mystère.

— 5 avril : la police et la presse s'emparent de l'affaire. Un avis de recherche est lancé. Une enquête commence.

On travaillera ensuite par fragments.

Texte narratif d'introduction

• Expliquer *surprise* d'après l'image. Trouver des situations où l'on peut être surpris.

• Écrire au tableau les mots *d'habitude, jamais, toujours*. D'après le contexte, faire des hypothèses sur le sens de ces mots.

• Présenter la rubrique : l'expression de l'habitude (voir grammaire).

Dialogue

• Reconnaître les personnages : Nicole est la secrétaire de M. Dupuis. M. Fontaine était l'interlocuteur de M. Dupuis dans le premier dialogue de la leçon précédente. M. Dupuis a été obligé d'interrompre la conversation qu'il avait avec lui, mais il devait lui envoyer son contrat.

• Expliquer *absent - mystère* et *partout*.

Avis de recherche

À découvrir en s'aidant de la rubrique de la p. 114 : le visage.

Article de presse

Compréhension de :

introuvable : d'après trouver. Donner quelques exemples de dérivation en *able* : faisable, portable.

riche/pauvre : expliquer et donner des exemples.

célibataire : opposer à marié (utiliser l'arbre généalogique p. 113).

inquiet : le sens s'éclaire par le contexte. Opposer à *tranquille, calme*. Rapprocher de *nerveux*.

▰ VOCABULAIRE ET GRAMMAIRE

Le visage

Ce vocabulaire sera travaillé grâce aux exercices 3 et 4 pp. 116-117.

L'expression de l'habitude

On a rassemblé dans cette rubrique quelques formes linguistiques qui permettent d'envisager l'action comme répétitive ou habituelle.

Deux difficultés principales :

Le lundi. Comparer : je vais venir chez vous le lundi (= tous les lundis) ;

je vais venir chez vous le lundi 1er avril (indique une date précise ou significative : tous les ans le 1er avril) ;

je vais venir chez vous, lundi 1er avril (= date précise).

Toujours : peut exprimer l'habitude (il se lève toujours tôt) ou la continuité de l'action. Il est 11 h du matin. Il dort toujours.

▰ ACTIVITÉS

Phonétique et Mécanismes

• Faire observer les phrases. Montrer que les pronoms toniques (vus p. 67) peuvent être des pronoms d'insistance.

• Transformation négative et production de la structure *ne ... jamais*.

Transcription

Phonétique
Répétez !
J'attends mon contrat, moi ! (...)
Tu es libre, toi ? (...)
Nous ne sommes jamais absents, nous ! (...)
Moi, je ne suis jamais en retard ! (...)
Nous, nous travaillons du matin au soir ! (...)
Eux, ils ne font rien ! (...)

Mécanismes
Écoutez !
Elle arrive toujours à l'heure ?
Non, elle n'arrive jamais à l'heure.
Elle va souvent se promener ?
Non, elle ne va jamais se promener.

À vous !
Elle arrive toujours à l'heure ? (...)
Non, elle n'arrive jamais à l'heure.
Il travaille toujours le dimanche ? (...)
Non, il ne travaille jamais le dimanche.
Elle téléphone souvent le matin ? (...)
Non, elle ne téléphone jamais le matin.
Il va souvent au cinéma l'après-midi ? (...)
Non, il ne va jamais au cinéma l'après-midi.
Elle va souvent se promener ? (...)
Non, elle ne va jamais se promener.
Elle écrit souvent à Pierre ? (...)
Non, elle n'écrit jamais à Pierre.
Il vient souvent chez vous ? (...)
Non, il ne vient jamais chez moi.
Il se lève toujours tôt ? (...)
Non, il ne se lève jamais tôt.

Exercices

EX. 1, P. 116

Elle ne regarde jamais la télévision.
Il ne fait jamais de fautes.
Il est toujours absent.
Il raconte toujours des histoires amusantes.

Elle part toujours sur la Côte d'Azur.
Elle ne va jamais à la montagne.
Je porte toujours des pantalons de velours.

EX. 2, P. 116

Activité d'expression orale à faire sous forme d'enquête en classe. Elle pourrait aussi prendre la forme d'un sondage :

	jamais	quelquefois	souvent	toujours
Buvez-vous du café ?	2	4	8	5
Allez-vous à l'Opéra ? etc.	....	....	....	....

(Les chiffres représentent le nombre d'étudiants concernés.)

EX. 3, P. 116

Travail sur la description du visage et apport d'informations culturelles.
Pour chaque tableau :
— décrire le personnage et particulièrement le visage ;
— informations sur l'artiste ⎫
— informations sur le sujet ⎬ faire appel aux connaissances des étudiants.

● François Ier par Jean Clouet.
Jean Clouet est un peintre français d'origine flamande qui se fixa à Tours en 1515 et devint le peintre du roi François Ier. Son style se caractérise par la minutie du détail et la préciosité de la facture.
François Ier : roi de 1515 à 1547. Grand guerrier et grand ami des arts et des lettres. Il fut à l'origine d'un renforcement du pouvoir royal, de la constitution d'une Cour, et de la construction de châteaux dans le Val de Loire où jusqu'à la fin du siècle les rois et les nobles allaient disposer de somptueuses résidences. (Voir les châteaux de la Loire, p. 148.)
Remarquer le visage allongé, le nez volontaire, le regard ironique, la beauté et la richesse du vêtement.

● L'homme à l'oreille coupée par Van Gogh.
Van Gogh est un peintre hollandais qui passa la fin de sa courte vie en France.
Avec lui, les formes et les couleurs n'ont plus une fonction descriptive mais expressive. Tout objet porte en lui l'image des passions et du tourment humains.
L'homme à l'oreille coupée est un autoportrait. Van Gogh avait eu une violente dispute avec son ami Gauguin (autre peintre). Ce dernier le quitta et Van Gogh en proie à la folie se coupa l'oreille.
Remarquer la pauvreté du vêtement, le visage creusé de rides, l'expression étrange des yeux.

● Portrait de femme par Modigliani.
Modigliani est un peintre et un sculpteur italien qui vécut en France de 1906 à 1920.
S'inspirant de Gauguin, de Picasso et de la sculpture africaine, il a créé un type de visage très personnel : forme allongée, courbes gracieuses et douces, yeux en amande, expression mélancolique.

● Annabel par Bernard Buffet.
Peintre ayant en France un très large public et dont le style est très reconnaissable : traits affirmés et élégants, formes géométriques et dures, personnages maigres et aux formes allongées.
Dans ce tableau, il a représenté sa femme.

EX. 4, P. 117

● Faire en commun et oralement l'inventaire des traits caractéristiques de ces personnages.
● Rédiger les avis de recherche dans le style télégraphique de celui de la p. 112.

OBJECTIFS

Vocabulaire	Grammaire
• les faits divers (p. 114) • *un meurtre - un avis - un coupable* *la famille - un meurtre* *un héritage* • *penser - croire*	• les constructions avec complétive *je pense que ... - je crois que ...* • le futur proche
Phonétique	Communication
• le [j] en position intervocalique	• demander / donner un avis

Civilisation
• La police en France.

DIALOGUE ET DOCUMENTS

● Présenter le vocabulaire des faits divers (p. 114).
● Demander aux étudiants de faire des hypothèses sur les raisons de la disparition de M. Dupuis.
Au cours du débat, introduire le vocabulaire qui permet l'expression de l'opinion (je pense que... - je crois que... - à mon avis...).
● Observer l'image. Présenter les personnages (d'après la phrase d'introduction) et la situation.
● Écoute du dialogue. Quelle explication Agnès Darot donne-t-elle de la disparition ? Que va-t-elle faire ?
Compréhension du dialogue et explication des difficultés.

> *La sécurité et l'ordre public sont assurés en France par la police (qui dépend du ministère de l'Intérieur) et la gendarmerie (qui dépend du ministère de la Défense).*
> La police *comprend plusieurs corps, les plus connus étant :*
> — les agents de police *(ou gardiens de la paix). Ils assurent l'ordre dans les villes, en particulier la surveillance de la voie publique. Ils sont en uniforme.*
> — *le corps de la* police judiciaire *(en civil) est chargé des enquêtes sur des délits divers et de l'arrestation des malfaiteurs. Il est organisé en* commissariats *et comprend des* commissaires *(le grade le plus important), des* inspecteurs *et des* enquêteurs.
> — *les* CRS *(Compagnie Républicaine de Sécurité) et les* gardes mobiles *sont des unités mobiles chargées en fonction des besoins du maintien de l'ordre, de la surveillance des autoroutes (lors des départs ou retours de vacances), des plages (en été) et des montagnes (en hiver). Leurs agents sont en uniforme.*
> La gendarmerie *a de multiples fonctions, la plus importante étant un rôle général de police dans les campagnes. Les uniformes des* gendarmes *sont différents de ceux des policiers.*
> En fait, les rôles de la police et de la gendarmerie *sont complémentaires.*

VOCABULAIRE ET GRAMMAIRE

Les faits divers. Animer ce vocabulaire à partir d'exemples pris dans l'actualité.
Demander / donner un avis (p. 115). Après une présentation de la rubrique, faire l'ex. 7, p. 118.
Le futur proche. Exploiter ce temps en situation de classe. « Qu'est-ce que vous allez faire ce soir / demain, etc. »

ACTIVITÉS

Phonétique et Mécanismes

- Le son [j] placé entre des voyelles.
- Systématisation du *futur proche*.

Transcription

Phonétique
Répétez !
Nous travaillons beaucoup. (...)
J'ai un billet d'avion pour mon voyage à Rome. (...)
Nous essayons de nettoyer l'escalier. (...)
Je dois payer ce cahier et ces crayons. (...)
Nous ne voyons pas le dossier vert. (...)
Cette pièce est bruyante. Asseyons-nous dans la pièce à côté. (...)

Mécanismes
Écoutez !
Vous allez bientôt partir ? Demain.
Je vais partir demain.
Il va bientôt sortir ? Tout à l'heure.
Il va sortir tout à l'heure.

À vous !
Vous allez bientôt partir ? Demain (...)
Je vais partir demain.
Il va bientôt arriver ? À 8 heures (...)
Il va arriver à huit heures.
Vous allez bientôt revenir ? Tout de suite (...)
Je vais revenir tout de suite.
Elle va bientôt écrire à ses parents ? Ce soir (...)
Elle va écrire à ses parents ce soir.
Ils vont bientôt envoyer le contrat ? Demain (...)
Ils vont envoyer le contrat demain.
Il va bientôt sortir ? Tout à l'heure (...)
Il va sortir tout à l'heure.

Exercices

EX. 5, P. 118

- ... Oui, il va rappeler.
- ... Oui, je vais me reposer.
- Est-ce que vous allez vous occuper de mon contrat ?

- ... Non, je ne vais pas me lever tôt.
- Est-ce qu'il va se promener ?
- Oui, je vais sortir.

EX. 6, P. 118

Plusieurs réponses possibles.

a) Je vais appeler un médecin / aller chez le médecin / me reposer / prendre des médicaments, etc.
b) Je vais me coucher tôt / me reposer.
c) Je vais quitter le bureau / parler au patron... au syndicat...

d) Je vais attendre / téléphoner / partir.
e) Il va aller au commissariat.
f) Il/elle va acheter un cadeau / faire un gâteau / inviter son ami(e).

EX. 7, P. 118

Activité orale à faire sous forme de débat.
Rappeler auparavant le vocabulaire nécessaire : expression de l'opinion - vrai/faux - pour/contre.
L'activité peut alors se faire en deux temps :
a) chaque élève se détermine (silencieusement) pour ou contre chaque assertion et rédige un argumentaire.
b) donner la parole à la classe et noter au tableau les arguments pour ou contre (vrai ou faux).

EX. 8, P. 118

Exercice d'écoute à faire avec la cassette. Stéphanie, Rémi et Antoine racontent leurs projets de vacances.

Rémi : Alors Stéphanie, qu'est-ce que tu vas faire pendant les vacances ?
Stéphanie : Je vais partir en Italie avec une amie.
Rémi : Tu vas visiter toute l'Italie ?
Stéphanie : Nous allons voir Rome, Florence, Venise, ça c'est sûr et, peut-être, nous allons descendre dans le Sud et en Sicile.
Antoine : Et là-bas vous allez rencontrer des Italiens ?
Stéphanie : Des Italiens, mais aussi des Allemands, des Américains, des Espagnols et peut-être aussi des Français. Et puis, on va

---

Rémi : visiter les monuments, voir les musées, on va aussi sortir le soir. Et toi Rémi, qu'est-ce que tu vas faire en juillet et en août ?

Rémi : Oh ! moi, je vais rester en France. Je vais travailler dans une entreprise à Marseille.

Stéphanie : C'est bien Marseille ! Tu vas pouvoir aller à la mer.

Rémi : Oui, le week-end, c'est sûr.

Stéphanie : Et toi, Antoine, tu pars ? Tu restes à Paris ?

Antoine : En juillet, je reste à Paris. Je vais travailler dans un restaurant.
Tous les jours de 11 h à 3 h et de 7 h à 2 h du matin.
Entre 3 h et 7 h, je vais pouvoir aller à la piscine, mais je vais être très occupé.
En août, je ne vais pas travailler, je vais peut-être partir au Pérou ou en Inde.

Au fur et à mesure de l'écoute, noter le lieu de vacances prévu, les activités envisagées et le degré de certitude (remplir le tableau de p. 118).

Qui parle ?	Où va-t-il/elle aller ?	Qu'est-ce qu'il/elle va faire ?	C'est sûr ?
Stéphanie	en Italie Rome, Florence, Venise Sud et Sicile	rencontres - visites - sorties	c'est sûr peut-être
Rémi	Marseille	travail week-end à la mer	c'est sûr
Antoine	Paris (en juillet) Pérou ou Inde (en août)	travail piscine	c'est sûr peut-être peut-être

OBJECTIFS

Vocabulaire	
• la famille (voir p. 115)	

Phonétique	*Communication*
• opposition [r] - [l]	• présenter sa famille • lire un arbre généalogique

Civilisation

• La famille en France.
• *Le Malade imaginaire* (Molière).

DIALOGUE ET DOCUMENTS

L'arbre généalogique

• Observation du document. Expliciter les relations parentales. Compléter le vocabulaire grâce au tableau de la p. 115.
• Présenter chaque personnage. Faire des hypothèses sur la culpabilité de chacun en fonction :
— de son état civil ;
— de sa profession ;
— de son âge.

VOCABULAIRE ET GRAMMAIRE

La famille

On établira des comparaisons avec la structure des relations familiales locales.

N.B. : *beau-père/belle-mère* : père ou mère du conjoint mais aussi, second mari (ou seconde épouse) de la mère (ou du père) pour les enfants d'un premier lit.

beau-frère/belle-sœur : frère ou sœur du conjoint mais aussi mari (ou femme) de la belle-sœur (ou du beau-frère).

ACTIVITÉS

Phonétique et Mécanismes

- L'opposition entre [r] et [l].
- Réemploi de *l'adjectif possessif* avec *le vocabulaire de la famille.*

<table>
<tr><td rowspan="2">Transcription</td><td>

Phonétique
Répétez !
Il loue une voiture rouge. (...)
Il y a de l'eau au robinet. (...)
Elle a le visage rond et les cheveux longs. (...)
Elle écoute la radio. (...)
Il appelle son père. (...)
Dans la rue, il met des lunettes noires. (...)

Mécanismes
Écoutez !
C'est le frère de Gérard Dupuis? Oui.
Oui, c'est son frère.
C'est votre oncle? Non.
Non, ce n'est pas mon oncle.

</td><td>

À vous !
C'est le frère de Gérard Dupuis? Oui (...)
Oui, c'est son frère.
C'est la sœur de Jacques? Non (...)
Non, ce n'est pas sa sœur.
Ce sont les cousins de Nicole? Oui (...)
Oui, ce sont ses cousins.
C'est votre oncle? Non (...)
Non, ce n'est pas mon oncle.
Ce sont vos enfants? Oui (...)
Oui, ce sont mes enfants.
C'est votre tante? Non (...)
Non, ce n'est pas ma tante.

</td></tr>
</table>

Exercices

Mireille Dupont est la *sœur* de Gérard Dupuis.
Alain Ferrand est le *fils* de Patrick Ferrand et le *neveu* de Gérard Dupuis.
Élisabeth Dupuis est la *cousine* d'Alain Ferrand et la *nièce* de Patrick Ferrand.

Florent Dupuis est le *petit-fils* d'Étienne Dupuis.
Michel Dupuis est le *frère* de Gérard Dupuis et le *beau-frère* de Marie Moreau.

EX. 10, P. 119

Activité de créativité à faire en petits groupes.
Décrire chaque personnage. Imaginer pour lui un nom, un âge, une profession. Imaginer les relations entre les membres de cette famille.

EX. 11, p. 119

Ce document, qui présente les personnages du *Malade imaginaire*, est extrait d'un ouvrage du XVIIe siècle. Remarquer la typographie des lettres *s* minuscules notées f. Remarquer également des termes désuets aujourd'hui : amant (= amoureux) - apothicaire (= pharmacien).
Raconter la pièce.

Argan se croit malade. Il vit entouré de médecins qui l'exploitent et multiplient les consultations et les ordonnances pour lui soutirer de l'argent. Il est tellement aveuglé par ses médecins qu'il refuse que sa fille épouse Cléante (un jeune homme qu'elle aime et qui l'aime) et veut lui imposer Thomas Diafoirus, un jeune médecin pédant et ridicule.
Par ailleurs Bélise, seconde femme d'Argan, pousse son mari à déshériter sa fille à son profit.
La pièce est une succession de scènes burlesques dans lesquelles Molière se moque des médecins et de la naïveté d'Argan. Béralde, frère d'Argan, persuade finalement ce dernier de tenter un stratagème pour éprouver la sincérité de ses proches. Argan se fait alors passer pour mort. Devant le faux cadavre, Bélise se réjouit et Angélique montre un vrai chagrin. Argan accepte alors que sa fille épouse Cléante et il finit par devenir lui-même médecin.

Leçon 3

UNITÉ 3

OBJECTIFS

Vocabulaire	*Grammaire*
• *un château - un guide - une nouvelle - une carte* (à jouer) • *disparaître - ouvrir - fermer* • *comme* (comme tous les jours)	• le passé composé (verbe utilisant l'auxiliaire *avoir*) • situer dans le temps : *depuis* + date *jusqu'à* + date
Phonétique	*Communication*
• le son [ʒ]	• raconter un événement passé • demander/donner des précisions sur le moment

Civilisation
• Chenonceaux et les châteaux de la Loire

DIALOGUE ET DOCUMENTS

• Présenter le lieu, les personnages et la situation d'après l'image et la phrase d'introduction.

• Lecture globale du dialogue. La situation indique clairement qu'Agnès Darot pose des questions sur des événements passés.

• Relever les formes verbales du dialogue. Repérer celles qui doivent être au passé.
Observer et conceptualiser la formation du passé.
Présenter *depuis* et *jusqu'à*.

• Écoute du dialogue et explication des mots qui font encore problème.
Noter l'emploi du temps de M. Ferrand dans la journée du 1ᵉʳ avril.

Le panneau : château de Chenonceaux
Identifier le document.
Induire le sens de *ouvert* et *fermé* d'après le contexte.
Observer la formation du pluriel « *travaux* ».
Voir la contradiction entre les indications du panneau et ce qu'a dit M. Ferrand. (Il ne peut pas avoir travaillé « comme tous les jours » le 1ᵉʳ avril. Le château était fermé pour travaux. S'agit-il d'un oubli de sa part ? Est-ce qu'il ment ? Est-ce lui, le coupable ?)

VOCABULAIRE ET GRAMMAIRE

Présenter le cas général de la formation du passé composé ainsi que la liste des participes passés (on trouvera, p. 211, la liste des participes passés irréguliers de tous les verbes employés dans la méthode).

■ *ACTIVITÉS*

Phonétique et Mécanismes

- Le son [ʒ]. Éviter les prononciations [dʒ], [ʃ], [z].
- Exercices de transformation au passé. *Avoir* à la forme affirmative et négative.

<table>
<tr><td rowspan="2">Transcription</td><td colspan="2">

Phonétique
Répétez !

L'ami de Jacques reste dix jours. (...)	Elle est obligée de corriger la lettre. (...)
Bonjour ! Où déjeunez-vous ? (...)	Il a les joues rouges. (...)
Quel âge as-tu ? (...)	Il mange du fromage. (...)

Mécanismes

Exercice 1	Exercice 2
Écoutez !	*Écoutez !*
Aujourd'hui, je déjeune au restaurant →	Aujourd'hui, je déjeune au restaurant →
Hier aussi, j'ai déjeuné au restaurant.	Mais hier, je n'ai pas déjeuné au restaurant.
À vous !	*À vous !*
Aujourd'hui, je déjeune au restaurant. (...)	Aujourd'hui, je déjeune au restaurant. (...)
Hier aussi, j'ai déjeuné au restaurant.	Mais hier, je n'ai pas déjeuné au restaurant.
Aujourd'hui, je travaille jusqu'à 9 heures. (...)	Aujourd'hui, j'apprends ma leçon. (...)
Hier aussi, j'ai travaillé jusqu'à 9 heures.	Mais hier, je n'ai pas appris ma leçon.
Aujourd'hui, il dîne au restaurant. (...)	Aujourd'hui, elle dort jusqu'à 10 heures. (...)
Hier aussi, il a dîné au restaurant.	Mais hier, elle n'a pas dormi jusqu'à 10 heures.
Aujourd'hui, nous regardons la télévision. (...)	Aujourd'hui, nous faisons une partie de cartes. (...)
Hier aussi, nous avons regardé la télévision.	Mais hier, nous n'avons pas fait de partie de cartes.
Aujourd'hui, elle lit un roman. (...)	Aujourd'hui, vous téléphonez à Jacques. (...)
Hier aussi, elle a lu un roman.	Mais hier, vous n'avez pas téléphoné à Jacques.

</td></tr>
</table>

Exercices

EX. 1, P. 124

Annie *a attendu* Pierre...
Hier nous *avons regardé* la télévision. Nous *avons vu* un bon western.
Hier j'*ai eu* une longue journée de travail. J'ai commencé à 8 h et j'*ai fini* ...
Annie *a mis* sa nouvelle robe. Moi j'*ai mis*...
D'habitude, M. et Mme Martin *dînent* à 7 h.
Mais... ils *ont dîné* à 9 h.

EX. 2, P. 124

Compréhension des questions au passé et production de réponses. (Ne pas exiger l'emploi des pronoms.)
Cet exercice demande que l'on se reporte au dialogue correspondant à chaque question.
M. Dupuis a eu une réunion avant 19 h.
Il n'a pas passé le week-end du 30 mars chez des amis.
Il n'a pas envoyé le contrat de M. Fontaine.
Nicole n'a pas vu M. Dupuis le 1ᵉʳ avril.
M. Fontaine a téléphoné le 1ᵉʳ avril.
M. Ferrand a peut-être travaillé le 1ᵉʳ avril. Mais pas comme d'habitude.

EX. 3, P. 124

Revoir l'histoire « Un printemps à Paris » et, en particulier, l'épisode de la p. 32.
La pièce a commencé à 8 h 30.
Sylvie attend Nicolas depuis 8 h 15 (ou 8 h 20).
Nicolas connaît Roland Brunot depuis le 4 mai.

OBJECTIFS

Vocabulaire	Grammaire
• *un mouton - un troupeau - une ferme* *un champ - un voisin* *le Sud - un rapport - un emploi du temps* • *élever* (des animaux) - *attendre -* *faire des courses* • *seul*	• le passé composé (verbes non pronominaux employant l'auxiliaire être) • situer dans le temps (*avant/après - vers*)
Phonétique	Communication
• les sons avec consonne + [r]	• relater le déroulement d'une journée

Civilisation

• La région du Larzac

DIALOGUE ET DOCUMENTS

• Observation de l'image et lecture de la phrase d'introduction. Expliciter la situation. Retrouver Béatrice et Florent Dupuis sur l'arbre généalogique (p. 113) et la région du Larzac (p. 148).
Remarquer la pauvreté du lieu et des vêtements de Mme Dupuis.
Nommer les animaux. Induire le sens de *élever*.
• Écoute du dialogue. Quelles informations peut-on en retirer ?
Observer la forme « il est parti ». Comparer avec la formation du passé vue en A.
Présenter le paragraphe 2 de la rubrique « le passé composé » (p. 122).

Le rapport d'enquête
Découvrir ce document tout en visualisant au tableau le déroulement de la journée de Florent et de Béatrice.

Heures	Béatrice	Florent
6 h	elle est restée...	il est parti...

Relever les verbes et observer la formation du passé.
Tout au long de cette démarche, expliquer les difficultés (notamment *vers*).
Découvrir les indices possibles de culpabilité (Personne n'a vu ...).

VOCABULAIRE ET GRAMMAIRE

Paragraphe 2, p. 122.
Situer dans le temps, p. 123.

ACTIVITÉS

Phonétique et Mécanismes

- Prononciation des groupes : consonne + [r].
- Exercices de transformation au *passé* avec l'auxiliaire *être*.

Phonétique
Répétez !
Béatrice élève des chèvres dans le Massif Central. (...)
L'entrée est gratuite. (...)
Il faut attendre la lettre du directeur. (...)

Ouvrez la porte à votre frère. (...)
Elle a pris un chemin à droite. (...)
Il faut prendre un autre train. (...)

Mécanismes
Exercice 1
Écoutez !
Aujourd'hui, je vais au cinéma →
Hier aussi, je suis allé(e) au cinéma.

Exercice 2
Écoutez !
Aujourd'hui, je vais au cinéma. →
Mais hier, je ne suis pas allé(e) au cinéma.

À vous !
Aujourd'hui, je vais au cinéma. (...)
Hier aussi, je suis allé(e) au cinéma.
Aujourd'hui, je pars à 7 heures. (...)
Hier, aussi je suis parti à 7 heures.
Aujourd'hui, il reste chez lui. (...)
Hier aussi, il est resté chez lui.
Aujourd'hui, nous venons chez vous. (...)
Hier aussi, nous sommes venus chez vous.
Aujourd'hui, vous arrivez tôt. (...)
Hier aussi, vous êtes arrivés tôt.

À vous !
Aujourd'hui, je vais au cinéma. (...)
Mais hier, je ne suis pas allé(e) au cinéma.
Aujourd'hui, je descends de la montagne. (...)
Mais hier, je ne suis pas descendu(e) de la montagne.
Aujourd'hui, elle sort. (...)
Mais hier, elle n'est pas sortie.
Aujourd'hui, elle entre dans le magasin. (...)
Mais hier, elle n'est pas entrée dans le magasin.
Aujourd'hui, nous arrivons à l'heure. (...)
Mais hier, nous ne sommes pas arrivés à l'heure.

Exercices

EX. 4, P. 125
Il s'agit de choisir l'auxiliaire nécessaire à la formation du passé.
Assurer auparavant la compréhension globale du texte (Qui écrit ? À qui ? De quoi parle Dominique ?).
- Nous sommes arrivés... nous sommes restés... nous avons vu... Michel a pris... nous avons loué... nous sommes partis... nous avons visité... Jacques a voulu... nous sommes allés... j'ai trouvé.

EX. 5, P. 125
Travail en petits groupes. Rédiger toutes les questions qu'Agnès Darot a dû poser pour obtenir les informations relatées dans son rapport d'enquête.
Mise en commun de ce travail aboutissant à une liste de questions écrites au tableau.
Jouez les scènes :
- A. Darot interroge Béatrice ;
- A. Darot interroge Florent.
Imaginez la journée du 1er avril de Mireille Ferrand (femme de Patrick Ferrand) :
- jouer l'interrogatoire ;
- rédiger le rapport d'enquête.

EX. 6, P. 125
Pour chaque photo on pourra suivre la démarche suivante :
— brain-storming sur les réponses possibles à la question : que s'est-il passé ?
— rédaction d'une légende et d'un bref commentaire (individuellement ou par petits groupes) ;
— confronter et discuter ces commentaires.
Plusieurs hypothèses sont chaque fois possibles. Pour le couple malheureux, on peut imaginer un accident / une maladie / un enlèvement concernant un enfant — la destruction de leur maison par une tempête / une bombe... On peut aussi imaginer qu'il s'agit de deux acteurs en train de tourner une scène pathétique, etc.

OBJECTIFS

Vocabulaire	Grammaire
● le vocabulaire des études (voir p. 123) ● *un anniversaire - un placard* ● *fêter - s'amuser - se débrouiller*	● le passé composé des verbes pronominaux ● l'expression de la durée ● la répétition de l'action
Phonétique	Communication
● les sons consonne + [1]	● relater un événement. Exprimer la durée d'une action

Civilisation

● Les études en France
● Bordeaux et l'Aquitaine

DIALOGUE ET DOCUMENTS

Il est recommandé de commencer par la rubrique « Vocabulaire et grammaire ».
● Lecture du texte d'introduction. Reconstituer la scolarité de René Dupuis.
● Observation de l'image. Formuler des hypothèses sur le personnage et sur la situation. Voir notamment l'heure, la tenue de René, les reliefs de fête sur la table.
● Écoute et explication du dialogue en deux temps.
● Jusqu'à « Je me débrouille » : on cherchera dans le dialogue une réponse aux questions qu'on s'est posées en observant l'image.
● L'emploi du temps du René le 1er avril.
Rassembler les arguments pour ou contre la culpabilité de René Dupuis.

VOCABULAIRE ET GRAMMAIRE

Le passé composé. Présenter sa formation avec les verbes pronominaux. Donner une vue d'ensemble des trois types de formation.
On pourra également remarquer que certains verbes conjugués avec *être* peuvent dans certains cas se conjuguer avec *avoir* :
  Je suis descendu du 1er étage - J'ai descendu l'escalier très vite.
(Cette opposition sera présentée dans *Le Nouveau Sans Frontières II* .)

L'expression de la durée
Travailler à partir des exemples de la p. 123 et comparer avec la langue maternelle.

Les études
On se contentera d'une présentation schématique du système éducatif en France. Au cours de cette présentation, introduire le vocabulaire de la rubrique.

Les principes : *L'enseignement est obligatoire de 6 à 16 ans. L'État a créé un service public où l'enseignement est gratuit. Les établissements publics accueillent 84 % des élèves.*
À côté des écoles publiques existent des établissements d'enseignement privé (écoles privées également appelées écoles libres) qui sont créés par des particuliers, des organisations ou des institutions religieuses. L'État apporte une aide financière à ces établissements.

Déroulement des études.
— *De 2 à 6 ans :* l'école maternelle.
— *De 6 à 11 ans :* l'école primaire. *Les élèves y font cinq années d'études réparties en trois cycles : cycle préparatoire (un an), cycle élémentaire (deux ans), cycle moyen (deux ans).*
— *De 11 à 15 ans :* le collège. *Quatre années d'études (classes de 6ème, 5ème, 4ème et 3ème). À la fin de ce cycle d'études, les élèves passent un examen :* le brevet des collèges.
— *De 15 à 18 ans : deuxième cycle de l'enseignement secondaire. Plusieurs types d'enseignement sont proposés aux élèves :*
  ● le lycée *(enseignement général),*
  ● le lycée technique *(enseignement technique),*
  ● le lycée professionnel *(prépare à une insertion directe dans la vie active).*
Au lycée, les élèves effectuent trois années d'études (classes de seconde, première et terminale). Ces études sont sanctionnées par un examen : le baccalauréat.
— *Après le baccalauréat, les étudiants peuvent accéder à :*
  ● *l'*université *(lettres, sciences, droit et sciences économiques, médecine, pharmacie),*
  ● *aux classes préparatoires au concours d'entrée dans les* Grandes Écoles *(administration, commerce, industrie, agriculture, écoles d'ingénieurs),*
  ● *aux* instituts universitaires de technologie *(deux années d'études).*

ACTIVITÉS

Phonétique et Mécanismes

● Les groupes consonantiques consonne + [l] + voyelle.
● Exercices de transformation au *passé*. Les verbes *pronominaux* à la forme affirmative et négative.

Transcription

Phonétique
Répétez !
Quel est l'emploi du temps de Florent ? (...)
S'il vous plaît ? Où est la place Monge ? (...)
On ne trouve plus la clé de la classe. (...)

Cette glace au café est agréable à manger. (...)
Ta règle bleue est sur la table. (...)
Le coupable a un costume bleu. (...)

Mécanismes
Exercice 1
Écoutez !
Aujourd'hui, je me lève à 8 heures →
Hier aussi, je me suis levé à 8 heures.

Exercice 2
Écoutez !
Aujourd'hui, je me lève à 8 heures →
Mais hier, je ne me suis pas levée à 8 heures.

À vous !
Aujourd'hui, je me lève à 8 heures. (...)
Hier aussi, je me suis levé à 8 heures.
Aujourd'hui, je me couche tard. (...)
Hier aussi, je me suis couché tard.
Aujourd'hui, elle se repose. (...)
Hier aussi, elle s'est reposée.
Aujourd'hui, elle se prépare en avance. (...)
Hier aussi, elle s'est préparée en avance.
Aujourd'hui, nous nous amusons. (...)
Hier aussi, nous nous sommes amusés.

À vous !
Aujourd'hui, je me lève à 8 heures. (...)
Mais hier, je ne me suis pas levée à 8 heures.
Aujourd'hui, il se lave. (...)
Mais hier, il ne s'est pas lavé.
Aujourd'hui, nous nous réveillons tôt. (...)
Mais hier, nous ne nous sommes pas réveillés tôt.
Aujourd'hui, nous nous promenons dans le jardin. (...)
Mais hier, nous ne nous sommes pas promenés dans le jardin.
Aujourd'hui, elle s'occupe de moi. (...)
Mais hier, elle ne s'est pas occupée de moi.

Exercices

EX. 7, P. 126
Lecture et compréhension du texte. Au besoin, figurer au tableau le déroulement de la journée de Charles Dupont comme dans un agenda.
Raconter la journée d'hier... Il suffit de transformer le récit au passé. Mais attention, les adverbes qui indiquent l'habitude (tous les jours / toujours) doivent être supprimés.
Partie b de l'exercice.
Expliquer « prix Goncourt ».
Brain-storming (collectif ou par petit groupes) sur les événements qui vont survenir après l'annonce de l'obtention du prix : coups de téléphone de félicitation, interviews de journalistes, passage à la télévision, etc. Mais peut-être s'agit-il simplement d'un gag de 1er avril.

(Le prix Goncourt est le plus célèbre des prix littéraires français. Il est décerné en novembre à un roman français paru dans l'année.) Rédaction du récit.

EX. 8, P. 126
Cette activité peut se faire en deux temps.
Les étudiants se mettent par deux. Ils se racontent mutuellement ce qu'ils ont fait pendant le week-end, pendant les vacances, etc.
Chaque étudiant raconte au reste de la classe ce qu'a fait son voisin.

EX. 9, P. 126
Lecture et compréhension du programme.
a) Monsieur Mead est resté en France (pendant) 12 jours.
   Il est resté 3 jours à Paris.
   Il est parti de Paris le 10 février à 10 h.
   Il a eu 3 journées et demie de travail.
b) « Je suis à Lyon depuis 3 jours.
   Je suis arrivé à Paris le 6 février tard dans la soirée.
   Je vais rester à Lyon jusqu'au 19 au matin.
   Je vais rester à Nice 3 jours et demi. »

EX. 10, P. 127
Les étudiants sont par deux et se posent des questions.
L'important, ici, est de manipuler les expressions qui permettent de préciser la durée, le point de départ ou la fin d'une action.

EX. 11, P. 127
Exercice d'écoute à faire avec la cassette.
Après une première écoute, repérer les quatre locuteurs et le sujet de la conversation.
Écouter l'enregistrement par fragments en remplissant le tableau.

Catherine : Pierre, tu as passé un examen? Pierre : Oui, la licence en droit. Catherine : Et ça s'est bien passé? Pierre : Oui, j'ai réussi du premier coup. Et toi Catherine? Catherine : Moi, j'ai passé ma maîtrise de littérature française. Pierre : Tu as réussi? Catherine : Oui, mais j'ai travaillé pendant 2 ans pour écrire les 200 pages de mon travail. Pierre : Et toi Michel? Ce baccalauréat?	Michel : J'ai échoué. Pierre : C'est la première fois? Michel : Oui. Cette année, je n'ai pas beaucoup travaillé. L'année prochaine, je vais réussir. Pierre : Tiens! Voilà Juliette. Alors Juliette, cette année, tu as réussi? Juliette : Oui, ouf! La deuxième fois a été la bonne. Michel : Qu'est-ce que tu as passé? Juliette : La licence de mathématiques.

Nom de l'étudiant	Discipline (lettres-langue-droit, etc.)	Examen (baccalauréat - licence, etc.)	Résultat	Après combien de fois...?
Pierre	droit	licence	il a réussi	du premier coup (la première fois)
Catherine	lettres	maîtrise	elle a réussi	après 2 années de travail
Michel		baccalauréat	il a échoué	c'est la première fois
Juliette	mathématiques	licence	elle a réussi	c'est la deuxième fois

EX. 12, P. 127
Retrouver Alain Ferrand dans l'arbre généalogique (p. 113).
Imaginer le personnage (histoire, psychologie, vie quotidienne).
Jouer l'interrogatoire (éventuellement après un travail écrit préparatoire).

EX. 13, P. 127
Imiter le rapport d'enquête de la p. 121 et puiser les informations nécessaires dans les dialogues A (pour Patrick Ferrand) et C (pour René Dupuis.)

Leçon 4

OBJECTIFS

Vocabulaire	Grammaire
• le vocabulaire de la mer (voir p. 131) • *un roman - une étoile* • *se rappeler - raconter - tourner* (la tête) - *avoir l'habitude de...* • *extraordinaire - désert - fort* • *tout à coup*	• l'imparfait : formes et différences d'aspect avec le passé composé • le déroulement logique du récit (*d'abord - puis - ensuite,* etc.)
Phonétique	Communication
• opposition pl/pr - bl/br, etc.	• raconter un événement passé • décrire les circonstances de cet événement

Civilisation

• La Bretagne

DIALOGUE ET DOCUMENTS

• Observation de l'image et lecture du texte d'introduction. Présenter le lieu, les personnages et la situation.

Introduire : le vocabulaire de la mer (p. 131), les verbes *se rappeler* et *raconter*.

• Lecture du dialogue. (Il s'agit plutôt d'un monologue.) Relever et classer les verbes en fonction de leur forme.

• Présenter l'imparfait (voir plus bas).

On observera ensuite que les verbes au passé composé indiquent généralement les actions proprement dites (j'ai fait une rencontre, je suis allée, j'ai vu, ...) alors que les verbes à l'imparfait notent plutôt les circonstances de ces actions. Ils décrivent, commentent, etc. (l'endroit était désert, il y avait des vagues, etc.).

• On analysera en détail le récit de Marie Dupuis-Moreau en dressant un tableau des actions analogue à celui qui se trouve p. 130.

L'analyse de la rencontre devra permettre de préciser :
— le décor de la rencontre ;
— les réactions de Mme Dupuis (peur - surprise) ;
— le personnage de Nicolas Legrand. On pourra imaginer les raisons pour lesquelles il se trouve seul en Bretagne. A-t-il quitté Valérie Florentini ? Cette rencontre s'est-elle déroulée avant l'idylle avec Valérie ?
— les suites de la rencontre. (Imaginer les dialogues.)

La première page du dernier roman de Marie Dupuis-Moreau.

Compréhension du texte.

Activité de créativité : imaginer la suite du récit.

Travail à faire en petits groupes.

On pourra imaginer une rencontre avec un animal (chien méchant - chat abandonné), un personnage sympathique ou antipathique, un individu dangereux, etc.

VOCABULAIRE ET GRAMMAIRE

On partira du classement des verbes du dialogue pour présenter la construction de l'imparfait.
On s'attachera ensuite à faire conceptualiser la différence d'emploi entre le passé composé et l'imparfait.
Ce faisant, on effectuera des comparaisons avec la langue maternelle.
Rappelons que la différence passé composé/imparfait ne peut s'expliquer par l'opposition action courte/
action longue, mais plutôt par deux visions particulières de l'action.

Passé composé	Imparfait
L'action est présentée comme achevée.	L'action est présentée comme en train de se faire.
Le passé composé note les moments principaux du récit.	L'imparfait présente les circonstances du récit (description du décor ou des personnages, actions secondaires ou d'accompagnement).
L'action au passé composé est souvent accompagnée de précisions temporelles.	

On illustrera ces remarques en présentant le récit mis sous forme de tableau (p. 130).

ACTIVITÉS

Phonétique et Mécanismes

● Opposition des groupes consonne + [l] et consonne + [r].
● Exercice de transformation. Faire une seule phrase de deux indépendantes, l'une à l'*imparfait*, l'autre au *passé composé*.

Transcription

Phonétique
Répétez !
Elle s'est promenée sur la plage. (...)
Ce placard est pratique. (...)
Mon oncle est brun. Il a un blouson bleu. (...)
Il a mangé 100 grammes de glace. (...)
Les arbres sont en fleurs au printemps. (...)
Il sait préparer des plats formidables. (...)

Mécanismes
Écoutez !
Il est entré. Nous bavardions →
Nous bavardions quand il est entré.
Elle est arrivée. Je lisais →
Je lisais quand elle est arrivée.

À vous !
Il est entré. Nous bavardions. (...)
Nous bavardions quand il est entré.

Je suis allé en Italie. J'avais 20 ans. (...)
J'avais 20 ans quand je suis allé en Italie.
Le téléphone a sonné. Je me reposais. (...)
Je me reposais quand le téléphone a sonné.
Il a rencontré Marie. Il était étudiant. (...)
Il était étudiant quand il a rencontré Marie.
Elle est arrivée. Je lisais. (...)
Je lisais quand elle est arrivée.
On a entendu un grand bruit. Je regardais la télévision. (...)
Je regardais la télévision quand on a entendu un grand bruit.
Jacques est sorti. J'étais dans la salle de bains. (...)
J'étais dans la salle de bains quand Jacques est sorti.
Nicolas Legrand a chanté à l'Olympia. Je n'étais pas à Paris. (...)
Je n'étais pas à Paris quand Nicolas Legrand a chanté à l'Olympia.

Exercices

EX. 1, P. 132

René Dupuis *dormait*... - ... elle *avait* 18 ans - Je *portais* ma robe bleue... - Nous *écoutions* la radio... - En 1980, vous *aviez* quel âge ? Ils *cherchaient* un appartement... - Tu *étais* dans ton bureau. Tu *étudiais* des dossiers...

EX. 2, P. 132

a) Sylvie *attendait* depuis une heure quand Nicolas *est arrivé*. Elle *connaissait* bien Nicolas. Ils *étaient* amis depuis longtemps. Elle *savait* qu'il *arrivait* souvent en retard. Mais ce soir-là, elle *s'est mise* en colère. Elle *est rentrée* chez elle.

b) Il *était* 2 h du matin. M. et Mme Martin *dormaient*. Tout à coup, Mme Martin *a entendu* des bruits bizarres. Ces bruits *venaient* du rez-de-chaussée. Mme Martin *a réveillé* son mari. M. Martin *est descendu*, mais il n'y *avait* personne. M. et Mme Martin *ont mal dormi* cette nuit-là.

EX. 3, P. 132

On trouvera dans ce tableau deux schémas de récit à mettre au passé.

Les phrases situées à gauche amènent le passé composé. Celles de droite se mettent naturellement à l'imparfait.

Compréhension du récit et de son déroulement.

Récit oral (ou écrit) au passé.

EX. 4, P. 133

À faire par petits groupes prenant chacun en charge le commentaire d'une diapositive.

Chaque diapositive doit être le déclencheur d'un récit de vacances.

Cet exercice peut être avantageusement remplacé par une présentation réelle de diapositives de vacances, chaque étudiant construisant un bref récit autour d'une ou deux photos représentatives.

▩ *OBJECTIFS*

Vocabulaire	*Grammaire*
• vocabulaire du jeu (voir p. 131) • *un gardien - une vie* • *balayer*	• l'imparfait d'habitude • le déroulement de l'action : *commencer à...,* *continuer à..., s'arrêter de...*
Phonétique	*Communication*
• le son [j] à la première et à la deuxième personne du pluriel de l'imparfait	• raconter des actions habituelles au passé

Civilisation

• Deauville (voir p. 149)

▩ *DIALOGUE ET DOCUMENTS*

Il est recommandé de commencer par l'explication du vocabulaire *le jeu/jouer* (voir rubrique « Vocabulaire et grammaire »).

• Observation de l'image et lecture du texte d'introduction.

Présenter les mots *gardien, vie* et *balayer*.

• Écoute du dialogue (sans le recours au texte écrit).

Reconstituer la vie de Michel Dupuis.

Commenter la psychologie du joueur.

▨ VOCABULAIRE ET GRAMMAIRE

Le jeu / jouer
Pour animer ce vocabulaire, interroger les étudiants sur leurs goûts et leurs compétences en matière :
— de jeux de société (et de jeux de hasard) ;
— de jeux sportifs ;
— d'instruments de musique.

L'imparfait d'habitude
Relever dans le dialogue les verbes au passé (passé composé et imparfait).
Montrer que l'imparfait traduit :
• un commentaire de l'action principale (cet aspect a été vu en A) ;
• une action habituelle et répétitive.
Étudier le discours du marin et de l'intellectuel, p. 130.

Commencer à..., continuer à..., s'arrêter de..., finir de...
Donner des exemples en situation de classe.

▨ ACTIVITÉS

Phonétique et Mécanismes

• Il s'agit ici de différencier les formes du présent et de l'imparfait à la première et à la deuxième personne du pluriel.
• Exercice de transformation : passage de l'*action passée ponctuelle* à l'*action passée habituelle*.

| *Transcription* | *Phonétique*
Répétez !
Nous allions. Nous allons. (...)
Vous alliez. Vous allez. (...)
Nous dansions. Nous dansons. (...)
Hier, vous parliez beaucoup. Vous ne parlez plus aujourd'hui. (...)
Tous les ans nous partions en avion. Nous ne partons plus. (...)

Mécanismes
Écoutez !
Hier, je suis allé au théâtre.
Quand j'étais à Paris, j'allais souvent au théâtre.
Hier, je me suis couché tard.
Quand j'étais à Paris, je me couchais souvent tard. | *À vous !*
Hier, je suis allé au théâtre.
Quand j'étais à Paris, j'allais souvent au théâtre.
Hier, j'ai rencontré des gens intéressants.
Quand j'étais à Paris, je rencontrais souvent des gens intéressants.
Hier, je me suis promené sur les boulevards.
Quand j'étais à Paris, je me promenais souvent sur les boulevards.
Hier, je me suis couché tard.
Quand j'étais à Paris, je me couchais souvent tard.
Hier, il a joué au tennis.
Quand il était à Paris, il jouait souvent au tennis.
Hier, nous avons dansé le rock.
Quand nous étions à Paris, nous dansions souvent le rock. |

Exercices

EX. 6, P. 133
Expliquer si nécessaire qu'au football l'équipe qui gagne marque 2 points, l'équipe qui perd marque 0 point. Lorsque les deux équipes font match nul, elles marquent toutes deux 1 point.
1er : Paris (5 points)   2e : Bordeaux (4 points)
3e : Marseille (3 points)   4e : Toulouse (0 point)

EX. 7, P. 134
Il s'agit de faire produire des imparfaits d'habitude.
Les deux premiers déclencheurs se réfèrent à des personnages connus :

- Michel Dupuis allait souvent au Casino, il jouait beaucoup, il gagnait...
- M. et Mme Martin habitaient près de l'aéroport. Il y avait beaucoup de bruit...

Le dernier déclencheur amène une réponse personnelle.

EX. 8, P. 134

En 1960, j'avais 18 ans. On dansait le rock. On écoutait des disques de Johnny Halliday. Les femmes portaient des mini-jupes. On roulait en Dauphine. On lisait les livres de Sartre et de Camus.

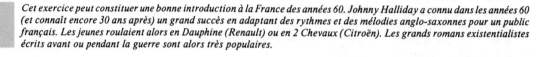

Cet exercice peut constituer une bonne introduction à la France des années 60. Johnny Halliday a connu dans les années 60 (et connaît encore 30 ans après) un grand succès en adaptant des rythmes et des mélodies anglo-saxonnes pour un public français. Les jeunes roulaient alors en Dauphine (Renault) ou en 2 Chevaux (Citroën). Les grands romans existentialistes écrits avant ou pendant la guerre sont alors très populaires.

EX. 9, P. 134

Observer ces quatre photos du Paris de 1900 à 1930.
- La porte Saint-Denis en 1900.
- Le café de la Paix en 1900.
- Un boulevard de 1900.
- L'intérieur d'un café en 1930.

Comparer avec le présent : vêtements - véhicules - aspect des rues, etc.

EX. 10, P. 134

Chaque étudiant interroge son voisin sur son enfance (domicile - jeux - goûts - habitudes, etc.). Il prend des notes et présente ensuite les résultats de son enquête au reste de la classe. La classe peut poser des questions. L'étudiant, dont on raconte l'enfance, rectifie, complète, précise.

EX. 11, P. 134

Même type d'exercice que celui qui a été fait à la leçon précédente (Ex. 13, p. 127).
On établira ainsi progressivement un fichier avec tous les rapports d'enquête d'Agnès Darot.

EX. 12, P. 135

Exercice d'écoute à faire avec la cassette.
Recopier d'abord l'agenda. Après une écoute complète du récit de Michel, procéder par étapes. Les étudiants notent sur l'agenda les activités successives décrites dans le récit.

Hier matin, j'ai commencé à travailler à 8 h. J'ai relu mes dossiers jusqu'à 10 h et demie. Puis, je suis allé à l'Université. J'avais un cours à 11 h, jusqu'à midi. À midi, j'ai mangé au restaurant universitaire et après, j'ai travaillé dans la bibliothèque. À quatre heures de l'après-midi, je suis allé en cours pendant 2 heures. Le soir, à 8 h et demie, j'ai vu « l'Avare » de Molière à la Comédie-Française. J'étais avec trois amis. Après, nous sommes allés danser. Nous nous sommes couchés tard, 2 h du matin peut-être.

Ce matin, j'ai dormi jusqu'à 9 h. J'étais fatigué. Je suis resté couché et j'ai écouté la radio jusqu'à 10 h. Puis j'ai pris une douche, un café et je suis sorti acheter un cadeau pour Martine. C'est son anniversaire aujourd'hui. À 1 h, j'ai déjeuné avec Martine dans une pizzéria du quartier Latin, puis nous nous sommes promenés dans le jardin du Luxembourg. Il est 4 h, je rentre chez moi. Je vais préparer un dossier.

OBJECTIFS

Vocabulaire	*Grammaire*
• les transports (voir p. 131)	• expression de la durée projetée dans le futur (*dans* une heure) • expression de la quantité (*encore / ne ... plus*)
Phonétique	*Communication*
• opposition [b] - [v]	• actes de communication dans le domaine des voyages (achat - réservation de places - de billets, etc.)

Civilisation

• Les transports publics en France

DIALOGUE ET DOCUMENTS

Observation du document.
Expliquer si nécessaire que les chiffres de la colonne « jours » représentent les jours de la semaine :
1 = lundi, 2 = mardi, etc.
Écoute et compréhension du dialogue.
Découvrir les raisons du voyage d'Agnès Darot : elle se rend à Londres, chez Jane Britten, belle-sœur de Gérard Dupuis.

VOCABULAIRE ET GRAMMAIRE

Présenter les différents moyens de transport.
Faire l'inventaire des situations de communication auxquelles se trouve nécessairement confronté un étranger qui utilise les moyens de transport d'un pays qu'il ne connaît pas.
  • Demande de renseignements.
  • Réservation de places.
  • Achat de billet.
  • Demande d'autorisation.
Rassembler ensuite les moyens linguistiques nécessaires pour pouvoir se débrouiller dans ces situations.
Rédiger et jouer de petits dialogues relatifs à ces situations.
Au cours de l'activité précédente, introduire les adverbes *encore* et *ne ... plus* exprimant la quantité.

ACTIVITÉS

Phonétique et Mécanismes

- Opposition des consonnes [b] et [v].
- Exercice de transformation négative : *encore* → *ne ... plus de ...*

Transcription

Phonétique
Répétez !
Elle s'habille bien, mais le vert ne lui va pas. (...)
Je voudrais un billet pour Berlin. (...)
Il va à Genève par le vol de midi. (...)
Elle joue très bien du violon. (...)
Il a vu du jus de fruits. Il a bu le jus de fruits. (...)
Quel est votre avis ? Je mets ces habits ? (...)

Mécanismes
Écoutez !
Il y a encore de la place ? Oui.
Il y a encore de la place.
Il y a encore du café ? Non.
Il n'y a plus de café.

À vous !
Il y a encore de la place ? Oui (...)
Il y a encore de la place.
Il y a encore du café ? Non (...)
Il n'y a plus de café.
Elle veut encore du poisson ? Oui (...)
Elle veut encore du poisson.
Vous voulez encore du thé ? Non (...)
Je ne veux plus de thé.
Il y a encore du bruit ? Non (...)
Il n'y a plus de bruit.
Vous prenez encore des escargots ? Oui (...)
Je prends encore des escargots.

Exercices

EX. 13, P. 135
Débat sur le moyen de transport le plus approprié pour une activité donnée.
Rédaction d'un texte où chaque étudiant expose ses préférences en matière de moyens de transport.

EX. 14, P. 135
Trois images pour jeux de rôles à préparer par deux.
Un homme d'affaires téléphone à une compagnie de transports aériens pour demander des informations, faire une réservation, etc.
Une dame achète un billet de train.
Un couple arrive à l'hôtel et demande une chambre.

Billet ou ticket ?
Métro de Paris : *On achète un ticket ou un carnet (10 tickets). Les tickets achetés par carnets sont meilleur marché. Il existe aussi des cartes hebdomadaires ou mensuelles (carte orange). Un ticket est valable pour une entrée dans le métro et permet de se rendre à n'importe quelle station.*
Il existe des voitures de 1ère et de 2ème classe.
Autobus : *On achète des tickets. À Paris, les tickets de métro sont valables pour les autobus, les cartes oranges également.*
Train : *On achète un billet qui est valable pour une durée de deux mois. Le voyageur doit composter son billet avant de monter dans le train.*

Leçon 5

OBJECTIFS

Vocabulaire	Grammaire
• *une assistante - un interprète* • *avoir besoin (de) - vouloir dire - apporter* • *volontiers - pourquoi*	• structures du discours rapporté : *dire/demander si..., que..., de...,* etc.

Phonétique	Communication
• L'enchaînement vocalique	• rapporter les paroles de quelqu'un

DIALOGUE ET DOCUMENTS

• Observation de l'image. Écoute du dialogue et lecture de la phrase d'introduction.
Une simple écoute du dialogue permettra de comprendre qu'il s'agit d'une situation de traduction. Identifier les quatre personnages et induire le sens de *avoir besoin de*.
• Compréhension du dialogue. On examinera :
  — ce que dit Agnès Darot pour demander des explications sur le sens ;
  — la structure du discours rapporté (ce que dit l'interprète) ;
  — ce qu'Agnès Darot apprend de nouveau au cours de son enquête.
Faire des hypothèses sur la culpabilité de Jane Britten.

VOCABULAIRE ET GRAMMAIRE

Interroger sur le sens. Ce vocabulaire aura sans doute été introduit au cours des activités de classe. Il s'agit ici de le systématiser. Veiller à réemployer la forme *vouloir dire*, beaucoup plus fréquente en français que *signifier.*

Rapporter un discours
• Écrire au tableau une traduction en langue maternelle des phrases de la colonne de gauche (il/elle dit) du tableau de la p. 138.
Imaginer une situation de traduction analogue à celle du dialogue et présenter les structures nécessaires à la transmission du discours. Montrer que ces structures varient en fonction du type de phrase à traduire (phrases énonciatives, impératives, interrogatives).
• Examiner le tableau de la p. 138.
• L'enseignant ou un étudiant énonce des phrases en langue maternelle (ou dans une langue autre que le français). Les autres étudiants doivent rapporter en français ce qui a été dit.

ACTIVITÉS

Phonétique et Mécanismes

● L'enchaînement vocalique. Visualiser les ensembles prononcés d'une seule émission de voix.

Elle a eu un accident.   -   Venez lundi à une heure.

● Exercice sur *les structures du discours rapporté*.
On entend une phrase. Puis un autre locuteur demande de rapporter ce qui a été dit.

Transcription

Phonétique
Répétez !
Elle a eu un accident. (...)
Venez lundi à une heure. (...)
J'ai ouvert la porte à un ami. (...)
Elle a acheté un agenda. (...)
J'ai appelé Annie à 8 heures. (...)
Il a invité André au restaurant. (...)

Mécanismes
Écoutez !
« *J'ai faim* ». Qu'est-ce qu'il dit ?
Il dit qu'il a faim.
« *Est-ce que Marie est malade ?* ». Qu'est-ce qu'il demande ?
Il demande si Marie est malade.

À vous !
« *J'ai faim* ». Qu'est-ce qu'il dit ? (...)
Il dit qu'il a faim.

« *Je pars* ». Qu'est-ce qu'il dit ? (...)
Il dit qu'il part.
« *Je vais au cinéma* ». Qu'est-ce qu'il dit ? (...)
Il dit qu'il va au cinéma.
« *Je ne suis pas fatigué* ». Qu'est-ce qu'il dit ? (...)
Il dit qu'il n'est pas fatigué.
« *Est-ce que Marie est malade ?* » Qu'est-ce qu'il demande ? (...)
Il demande si Marie est malade.
« *Est-ce que Pierre vient ce soir ?* » Qu'est-ce qu'il demande ? (...)
Il demande si Pierre vient ce soir.
« *Est-ce que Monsieur Dupuis est absent ?* » Qu'est-ce qu'il demande ? (...)
Il demande si Monsieur Dupuis est absent.
« *Est-ce que la secrétaire travaille ?* » Qu'est-ce qu'il demande ? (...)
Il demande si la secrétaire travaille.

Exercices

EX. 1, P. 140
Agnès Darot demande à son interprète de dire quelque chose à Jane Britten. L'étudiant doit jouer le rôle de l'interprète et traduire. Cette traduction peut se faire en anglais ou dans la langue maternelle de l'étudiant. On peut aussi énoncer ces phrases en français.

Elle voudrait un peu de lait dans son thé.   Ne mettez pas de sucre dans son thé.
Racontez-lui votre journée du 1er avril.   Où habitiez-vous à Nice ?
Vous êtes restée longtemps en France ?   Qu'est-ce que vous faisiez à Nice ?

EX. 2, P. 140
Ils vous demandent de faire attention.   Ils vous demandent (disent) de ne pas avancer.
Ils vous disent que c'est dangereux.   Ils vous demandent si vous êtes étrangère.
Ils vous demandent qui vous êtes.   Ils vous demandent ce que vous cherchez.

EX. 3, P. 140
Jeux de rôles à faire par groupes de trois.
a) M. Dupuis - un client étranger - l'interprète.
b) Agnès Darot - Élisabeth Dupuis - l'interprète.
Pour ce jeu de rôles, imaginer le personnage d'Élisabeth et l'alibi qu'elle donne à l'inspecteur Darot (imaginer sa journée du 1er avril).
Rédiger les rapports d'enquête sur Jane Britten et Élisabeth Dupuis.

OBJECTIFS

Vocabulaire	*Grammaire*
● le corps - la santé - la maladie (voir p. 139)	● le pronom complément indirect de personne
Phonétique	*Communication*
● les liaisons	● demander/donner des informations sur la santé de quelqu'un

Civilisation

● Les Pyrénées
● Personnages de l'histoire et de la littérature : Napoléon Ier - Marat - La Dame aux camélias

DIALOGUE ET DOCUMENTS

Il est recommandé de commencer par l'explication du vocabulaire « *le corps, la santé, la maladie* ».
● Écoute de l'enregistrement et observation de l'image.
Identifier la situation. Reconnaître M. Dupuis et formuler des explications sur sa disparition et sa réapparition. Rappeler l'état de fatigue et d'inquiétude dans lequel il se trouvait en III 1.
● Lecture de l'ordonnance.
Faire la liste des structures verbales avec pronom antéposé. Rechercher le sens du pronom.

VOCABULAIRE ET GRAMMAIRE

Le corps - la santé - la maladie
● Présenter les parties du corps d'après le schéma.
● Faire l'inventaire des situations de communication propres au domaine de la maladie (expression d'un état physique, de la douleur - demande d'informations par le médecin - lecture d'une ordonnance, etc.). Rassembler les moyens linguistiques nécessaires pour pouvoir s'exprimer dans ces situations (les étudiants utiliseront le vocabulaire de la p. 139 que l'enseignant complétera au besoin).
● Imaginer et jouer des scènes à partir de ces situations de communication.

Le pronom complément indirect
● Prolonger le travail d'observation des structures verbales avec pronom en reconstruisant ces phrases.
« Vous leur avez écrit → vous avez écrit à vos amis. »
Observer qu'il s'agit de verbes se construisant avec la préposition *à*.
● Rappeler la construction du pronom à l'impératif de ces verbes (III 1).
● Comparer avec la construction à l'indicatif.
● Examiner et commenter la rubrique de la p. 138.

ACTIVITÉS

Phonétique et Mécanismes

- Travail sur l'enchaînement consonne - voyelle.
- Exercice de transformation. Les pronoms antéposés : *lui, leur* au présent, passé composé, à la forme affirmative et négative.

<table>
<tr><td rowspan="2">Transcription</td><td>

Phonétique
Répétez !
Vous avez mal à la tête ? (...)
Vos amis sont inquiets. (...)
Vous leur avez téléphoné. (...)
Nous invitons nos amis au restaurant. (...)
Je suis allé dîner avec André. (...)

Mécanismes
Écoutez !
Vous téléphonez à Jacques ? Oui.
Je lui téléphone.
Vous avez écrit à Jacques ? Non.
Je ne lui ai pas écrit.

</td><td>

À vous !
Vous téléphonez à Jacques ? Oui (...)
Je lui téléphone.
Vous écrivez à vos parents ? Oui (...)
Je leur écris.
Vous avez parlé au directeur ? Oui (...)
Je lui ai parlé.
Vous avez envoyé une invitation à vos amis ? Oui (...)
Je leur ai envoyé une invitation.
Vous téléphonez à André ? Non (...)
Je ne lui téléphone pas.
Vous écrivez à vos amis ? Non (...)
Je ne leur écris pas.
Vous avez parlé au médecin ? Non (...)
Je ne lui ai pas parlé.
Vous avez écrit à vos parents ? Non (...)
Je ne leur ai pas écrit.

</td></tr>
</table>

Exercices

EX. 4, P. 141

- Il lui téléphone souvent.
- Il ne lui a pas envoyé le contrat.
- Il leur a écrit.
- Il lui a demandé de rester jusqu'à 7 h.

- Ils m'écrivent / ils ne m'écrivent pas.
- Je lui parle toujours en français /
  Je ne lui parle pas toujours en français.

EX. 5, P. 141
Description collective des images.
Préparation des dialogues par groupes de deux (image a) ou trois (image b).

EX. 6, P. 141
Documents destinés à éveiller la curiosité des étudiants, à déclencher des questions et des commentaires, à provoquer une discussion sur les malades célèbres (de l'histoire, de la littérature, du cinéma, etc.) et sur la maladie en général.

Napoléon Ier *(1769-1821).*
Général de l'armée française pendant la Révolution, il prit le pouvoir par un coup d'État (1799) puis se fit couronner empereur. Il réorganisa en profondeur les structures administratives de la France, mais son règne fut celui d'un état de guerre quasi permanent.
On se demande souvent pourquoi, à partir de 1800, les peintres ont représenté Napoléon avec la main droite glissée sous sa veste, au niveau de l'estomac. On pense que ce tic était dû à de fréquentes douleurs. Napoléon mourra d'ailleurs d'un cancer à l'estomac.

Marat *(1743-1793).*
Médecin à l'origine, il devint un homme politique important pendant la Révolution et prit des positions extrémistes. Il fut assassiné par une opposante : Charlotte Corday. Marat était atteint d'une maladie de peau qui l'obligeait à rester de longues heures dans son bain où il lisait, écrivait et recevait des visiteurs. C'est dans son bain qu'il fut assassiné.

La Dame aux Camélias : *roman, puis pièce de théâtre d'Alexandre Dumas fils (1852).*
Marguerite Gautier est une femme dont la jeunesse a été d'une moralité douteuse aux yeux de la bourgeoisie puritaine. Elle aime d'un amour partagé Armand Duval. Mais le père d'Armand s'oppose à cette liaison et obtient de Marguerite qu'elle quitte son fils. De santé fragile, Marguerite mourra d'une maladie de poitrine.
L'opéra de Verdi La Traviata *est inspiré de ce roman.*

EX. 7, P. 142

Il lui demande de ne pas sortir et de rester couché.   Il me demande si je suis libre demain soir.
Il lui dit qu'il va à une réunion.   Il me demande ce que j'ai compris.

EX. 8, P. 142

Exercice d'écoute à faire avec la cassette.
Un douanier pose des questions à un voyageur. La tâche consiste à rapporter les paroles du douanier.

	Le douanier	: Comment vous vous appelez ?	La dame	: Qu'est-ce qu'il demande ?
	La dame	: Qu'est-ce qu'il dit ?	Le douanier	: Ouvrez votre valise !
	Le douanier	: D'où venez-vous ?	La dame	: Qu'est-ce qu'il demande ?
	La dame	: Qu'est-ce qu'il demande ?	Le douanier	: Qu'est-ce qu'il y a dans ce paquet ?
	Le douanier	: Vous avez quelque chose à déclarer ?	La dame	: Qu'est-ce qu'il demande ?

Il vous demande comment vous vous appelez.   Il vous demande d'ouvrir votre valise.
Il vous demande d'où vous venez.   Il vous demande ce qu'il y a dans ce paquet.
Il vous demande si vous avez quelque chose
à déclarer.

EX. 9, P. 142

Exercice de compréhension écrite.

- Non, elle n'était pas à l'hôpital le 28 mai.   Elle n'était plus à l'hôpital le 9 juin.
  (Elle est rentrée à l'hôpital le 2 juin.)   - Elle n'avait plus l'appendicite le 4 juin.
- Elle était encore à l'hôpital le 6 juin.

▨ *OBJECTIFS*

Vocabulaire	*Grammaire*
• *une plaisanterie - un coup de théâtre*	• le pronom objet direct antéposé
• *rappeler - se reposer*	• l'expression de la cause et de la conséquence
• *tout le monde*	
• *pourquoi - parce que*	

Phonétique	*Communication*
• le son [w $\tilde{\varepsilon}$]	• demander/donner des explications
	• exprimer la cause et le but

▨ *DIALOGUE ET DOCUMENTS*

- Observation de l'image et écoute de l'enregistrement. S'assurer de la compréhension globale du dialogue (la surprise des secrétaires - les demandes d'explications - les réponses de M. Dupuis).
- Travail sur le texte écrit.
  - Expliquer *tout le monde*.
  - Observer les réponses aux questions des secrétaires introduites par *pourquoi*. Dans la première, M. Dupuis explique sa disparition par le but (pour me reposer), dans la seconde il exprime une cause (parce que je voulais...).

Présenter la rubrique « La cause et le but », p. 139.
- Relever et analyser les pronoms antéposés (voir grammaire ci-dessous).
Réécouter le dialogue et jouer la scène.

L'article de presse
Expliquer : *une plaisanterie de 1ᵉʳ avril.* Le 1ᵉʳ avril est en France la journée des plaisanteries, des farces et des canulars. Ces plaisanteries sont appelées « poissons d'avril ». On annonce très sérieusement de fausses nouvelles. Les journaux publient des informations spectaculaires mais totalement fausses. Il s'agit chaque fois de tromper l'auditeur ou le lecteur afin de pouvoir ensuite rire de la plaisanterie. Cette coutume serait liée à la fermeture de la pêche qui a lieu depuis des siècles le 1ᵉʳ avril. Pour taquiner les pêcheurs privés de poissons, on leur envoyait des harengs... d'où l'expression « poisson d'avril ».
- Relever et analyser les pronoms antéposés.
- Rédiger la suite de l'article.

▧ VOCABULAIRE ET GRAMMAIRE

La cause et le but
Prolonger le travail fait à partir du dialogue par des réemplois en situation de classe ou des questions sur les histoires (pourquoi M. et Mme Martin sont-ils partis d'Orly ?...).

Le pronom complément direct
- Rappeler la construction et les formes du pronom lorsque le verbe est à l'impératif.
- Comparer avec la construction et les formes à l'indicatif.
- Comparer avec les formes du pronom objet indirect.
- Remarquer l'orthographe du participe passé lorsque le pronom direct antéposé est féminin ou pluriel.

▧ ACTIVITÉS

Phonétique et Mécanismes

- Le son [w ɛ̃]. Éviter [w ɑ̃].
- Exercice de transformation : les pronoms *le, la, les, l'* au présent, passé composé, à la forme affirmative et négative.

Transcription

Phonétique
Répétez !
Il est dix heures moins le quart. (...)
Vous habitez loin d'ici ? (...)
Ce blessé a besoin de soins. (...)
Il habite au coin de la rue. (...)
Il faut mettre un point à la fin de la phrase. (...)

Mécanismes
Écoutez !
Vous aimez les fruits ? Oui.
Je les aime.
Vous avez invité Nicole ? Non.
Je ne l'ai pas invitée.

À vous !
Vous aimez les fruits ? Oui (...)
Je les aime.
Vous étudiez le français ? Oui (...)
Je l'étudie.
Vous mettez votre cravate ? Oui (...)
Je la mets.
Vous avez attendu Pierre ? Oui (...)
Je l'ai attendu.
Vous aimez les escargots ? Non (...)
Je ne les aime pas.
Vous étudiez le chinois ? Non (...)
Je ne l'étudie pas.
Vous avez attendu Jacques ? Non (...)
Non, je ne l'ai pas attendu.
Vous avez gagné la partie ? Non (...)
Non, je ne l'ai pas gagnée.

Exercices

EX. 10, P. 142

- Elle les a interrogés.
- Ils me font beaucoup de cadeaux.
- Je l'ai pris / je ne l'ai pas pris.
- Je l'ai vu / je ne l'ai pas vu.

- Il ne les aime pas / Il les aime.
- Je l'aime / Je ne l'aime pas.
- Il ne l'a pas laissée.

EX. 11, P. 143

- ... Nicole *lui* apporte le dossier.
- Il *l'*a lu.
- Jacques *l'*a félicitée et *lui* a offert un cadeau.

- M. Dupuis ne *leur* a pas téléphoné.
- *Elle* ne *les* a pas apportés. *Elle lui* a apporté...

EX. 12, P. 143

Lecture et compréhension du texte publicitaire. Montrer que les arguments publicitaires sont des propositions de but (pour...) et des propositions de cause (parce que...).

Selon une technique de brain-storming en petits groupes, rechercher pour chaque thème publicitaire, des arguments de but et des arguments de cause.

Exemple : prenez le train   But : pour aller vite - pour visiter la France - pour être à l'heure - pour voir le paysage...

Cause : parce que ce n'est pas cher - parce que c'est un moyen de transport sûr - parce qu'il y a un bar et un restaurant.

Individuellement ou par deux, les étudiants composent une affiche publicitaire sur l'un des slogans. Afficher et commenter les productions.

EX. 13, P. 143

Trouver des causes et des buts pour chaque phrase.

Je dois faire un régime... parce que je suis gros, pour être mince...

EX. 14, P. 143

Il/elle a besoin de...
1. d'un interprète, d'une traduction, d'une explication, d'apprendre la langue.
2. de se reposer, de dormir, d'arrêter de travailler.
3. d'affiches, de tableaux, de peindre.
4. d'une enveloppe, d'un timbre, d'un stylo, de papier.
5. de travailler, d'étudier, d'apprendre.
6. de sortir, de voir des amis, d'aller voir des spectacles amusants.

UNITÉ 3

CORRIGÉ DES EXERCICES

Vous savez...
1. ... utiliser les pronoms
- Non, je ne pense à personne.
  Quelqu'un est venu pendant mon absence.
  Non, rien ne marche.
  Non, je n'ai rien fait. Je suis resté chez moi.
  Quelque chose a changé dans ce salon.
- Téléphonez-moi ! - Écrivez-leur ! - Ne m'attendez pas !
  Regardez-les ! - Réussissez-le ! - Ne le mangez pas !
  Invitez-la ! - Ne lui demandez rien !
  Écoutez-moi ! - Attendez-nous !
- M. Dupuis, P.D.G. de l'entreprise Frantexport, est quelquefois désagréable avec son personnel. Mais les secrétaires de Frantexport *l*'aiment bien. *Il leur* fait des cadeaux. Il *les* invite au restaurant. Il sait être gentil avec *elles*. Un jour M. Dupuis disparaît. Nicole, la secrétaire de direction, pense qu'il est chez ses amis. Elle *leur* téléphone. Mais M. Dupuis reste introuvable. On *le* cherche partout. Finalement, la police fait une enquête. L'inspecteur Darot croit que le coupable est un des membres de la famille Dupuis. Elle va *les* voir. Elle *leur* demande leur emploi du temps du 1ᵉʳ avril. Mais avant la fin de l'enquête, M. Dupuis revient. On *le* trouve un matin assis à son bureau, comme d'habitude.

2. ... raconter
- Jacques *a rencontré* Valérie, hier soir au théâtre. Elle *était* très belle. Elle *avait* une robe magnifique.
- Quand j'*étais* jeune, je *faisais* beaucoup de sport. J'*allais* souvent à la piscine. Je *jouais* au football.
- Hier après-midi, nous nous *sommes promenés* au bord de la mer. La mer *était* calme. L'eau *était* bonne. Nous nous *sommes baignés* et nous *avons couru* sur la plage.
- *Elle raconte sa promenade et décrit les lieux où elle est passée.*
Elle est sortie hier après-midi. Elle est allée dans le parc et elle s'est promenée. C'était le printemps. Le ciel était bleu. Il y avait des fleurs partout. Elle est allée sur les grands boulevards et elle a fait quelques achats. Il y avait beaucoup de monde. Les magasins étaient pleins. Elle est passée devant la maison de son amie Martine. Martine était chez elle. Elle a sonné et elle est entrée. Elle a pris le thé avec Martine. Il était très bon.

3. ... situer dans le temps - exprimer la durée
- Agnès Darot a commencé son enquête depuis le 5 avril.
- M. Dupuis a disparu depuis 8 jours.
- Elle va partir le 11 avril.
- Rémi étudie l'histoire de l'Art depuis 5 ans.
- Il est resté en Angleterre pendant 3 ans.

4. ... exprimer la cause ou le but
a-6, b-8, c-4, d-2, e-7, f-3, g-1, h-5.

5. ... parler du futur
- Il va s'arrêter de travailler. Il va prendre une aspirine. Il va se coucher et il va dormir.
- Ils vont prendre l'avion. Ils vont aller à Tahiti. Ils vont partir en bateau sur une île. Ils vont rester sur cette île.

6. ... rapporter un discours
Il dit que ce plat est délicieux.
Il demande qui a pris son dictionnaire.
Il dit que M. Dupuis est absent aujourd'hui.
Il demande comment je m'appelle.
Il demande quand il revient.
Elle demande si j'ai encore mal à la tête.
Elle demande si c'est grave.
Elle demande ce que vous voulez.
Elle demande où elle habite.
Elle vous demande de ne pas fumer.

7. ... interroger
Qu'est-ce qu'il vous demande ?
Depuis quand habite-t-il à Paris ?
Dans combien de temps allez-vous sortir de l'hôpital ?
Quand (quel jour) est-elle partie en voyage ?
Est-ce que je suis malade ?
Combien de temps est-elle restée en Grèce ?
Comment allez-vous ?

8. ... donner un avis - une opinion
On évaluera ici l'utilisation de : *je pense/je crois que - à mon avis* ainsi que l'aptitude à caractériser.
« Je pense que ce ne sont pas des vêtements de ville. Ce sont des costumes de théâtre ou des vêtements pour se déguiser... »

9. ... décrire les personnes

Évaluer l'aptitude à caractériser l'aspect physique et l'attitude.
« Panoramix est vieux. Il a une longue barbe blanche, de longues moustaches et de longs cheveux... »

10. ... parler

• *Des parties du corps*
Il a mal à la tête, aux dents, au bras droit et à la jambe gauche.

• *De la famille*
mon cousin - ma cousine - mes petits-enfants - mon beau-frère - ma tante.
• *De l'entreprise*
dirige - incompétent - signer - l'annuaire - renseignements.
• *Des transports*
réservation - place - complet - vol.

COMMENTAIRE DES PHOTOS

• Lyon. Le Rhône et le quartier de la Croix-Rousse.
La ville de Lyon s'étend au confluent de la Saône et du Rhône qui étalent leurs méandres autour de deux célèbres collines : Fourvières et la Croix-Rousse.
Sur les pentes de la Croix-Rousse s'étagent les hautes maisons des anciens canuts (tisseurs de soie qui, du XVIe au XXe siècle, ont fait de Lyon l'un des plus grands marchés soyeux du monde).
Remarquer la péniche au premier plan. Le Rhône et la Saône sont navigables.

• Le vieux Lyon et la Saône.
C'est le plus vieux quartier de Lyon. C'est là que l'industrie de la soie s'est installée au XVIe siècle. On y trouve de belles maisons de style Renaissance. À droite, on aperçoit les tours de la cathédrale Saint-Jean, construite au XIIIe siècle.

• Le château de Chenonceaux.
Il a été construit de 1513 à 1521. Deux femmes célèbres y ont vécu : Diane de Poitiers, favorite du roi Henri II, à qui le roi fit don du château, et Catherine de Médicis, femme du roi qui, à la mort de son mari, expulsa la favorite et prit possession des lieux.
Chenonceaux est l'un des plus beaux spécimens de ces châteaux que les rois et les seigneurs de la Renaissance (XVIe siècle) firent construire dans le Val de Loire. Il est bâti comme un pont, en travers du Cher (affluent de la Loire). À gauche, un corps de logis rectangulaire avec des tourelles aux angles. (Remarquer la richesse décorative des fenêtres qui s'ouvrent sur les toits ainsi que des cheminées.) À droite, une galerie à deux étages construite par Catherine de Médicis et qui témoigne d'un style plus classique et plus sobre.

• Bordeaux - La grosse cloche.
Bordeaux est la sixième ville de France. Grand port (situé à l'embouchure de la Garonne), centre commercial (notamment des fameux vins de Bordeaux), centre industriel (constructions navales, raffineries, usines de produits chimiques). C'est aussi une belle ville par la majesté de ses constructions du XVIIIe siècle.
Le lieu dit « la grosse cloche » est une porte des remparts qui entouraient la ville au XVe siècle. La cloche qui s'y trouve sonnait, une fois l'an, le signal du début des vendanges.

• Bordeaux. La place de la Victoire.
On remarquera de beaux immeubles du XVIIIe siècle. À gauche, la porte d'Aquitaine qui s'ouvrait dans l'enceinte de la ville au XVIIIe siècle.

• Paysage de l'Aveyron.
L'Aveyron est un département français couvert en partie par la région naturelle appelée Larzac. Etymologiquement Larzac signifie brûlé, desséché, stérile. C'est une zone de rocailles et de maigres pâturages située au sud du Massif Central. On n'y trouve que quelques rares fermes auprès des points d'eau et d'immenses troupeaux de brebis. On y produit un fromage de brebis : le roquefort.

• Le phare de la pointe de Squewel à Ploumanach (Bretagne).
Ploumanach est un petit port de pêche situé près de Trégastel sur la corniche bretonne (nord de la Bretagne). La côte a l'aspect d'un entassement de rochers de granit rose aux formes parfois curieuses, façonnées par l'érosion : boules parfois parfaites, empilements, énormes rochers en équilibre instable. L'imagination locale a donné des noms aux plus typiques de ces rochers : baleine, chapeau de Napoléon, sorcière, etc.
Sur la photo, la pointe de Squewel où les rochers s'avancent dans la mer en formant des anses. Sur la pointe la plus avancée : un phare.

• Deauville.
La station balnéaire la plus célèbre de la côte normande. Son essor vient de sa proximité de Paris (moins de 2 h d'autoroute).
Sa clientèle est internationale et les activités qu'elle propose sont multiples (voile, planche à voile, courses de chevaux, tournois sportifs).

LEÇON 1

OBJECTIFS

Vocabulaire	Grammaire
• l'agriculture (p. 154) • *une machine - une commune - un bois - un étang* • *prêter - emprunter - produire - gagner sa vie*	• l'expression de la quantité : *assez - pas assez - trop*

Phonétique	Communication
• opposition entre les sons [o] et [ɔ]	• demander - argumenter sa demande

Civilisation
• Une région du Sud de la France : la Camargue et son environnement • Les problèmes agricoles

DIALOGUE ET DOCUMENTS

Il est recommandé de commencer par la rubrique « Vocabulaire et grammaire ».
• Lecture du texte d'introduction et observation du document.
Situer sur la carte de la p. 196 Marseille, Montpellier et la mer Méditerranée.
Présenter la Camargue et le village des Saintes-Maries-de-la-Mer.

> *La Camargue est une micro-région située à la frontière de la Provence et du Languedoc entre les deux branches du delta du Rhône. Il y a quelques dizaines d'années, c'était encore un pays sauvage de marécages et de prairies naturelles. L'habitat y était rarissime : quelques fermes (ou mas) qui vivaient essentiellement de l'élevage de taureaux de combat et de chevaux blancs. Mais le paysage fascinait par sa beauté et ses richesses naturelles (une flore et une faune uniques en France). Aujourd'hui, une grande partie des marécages a fait place à des cultures (riz - maïs - arbres fruitiers - vigne) ; mais le caractère spécifique de cette région a été sauvegardé par la création d'un parc naturel régional (créé en 1967).*
> *Sur les franges de la Camargue se trouvent deux agglomérations :*
> *Arles, ville de 50 000 habitants, qui, de l'Antiquité à la fin du Moyen Âge, fut une capitale régionale. De ce passé glorieux restent de nombreux vestiges.*
> *Les Saintes-Maries-de-la-Mer, village de 2 000 habitants, ancien petit port de pêche qui vit aujourd'hui du tourisme.*
> *Le village de Saint-Sauveur n'existe pas sur les cartes. Il a été imaginé pour les besoins de notre histoire qui, bien qu'étant une pure fiction, s'inspire largement des réalités historiques et économiques régionales.*
> *Tout au long de la Reine des Sables seront abordés des problèmes régionaux qui seront certainement d'actualité pendant de nombreuses années : la difficulté qu'éprouvent les agriculteurs à s'adapter rapidement aux besoins d'une économie moderne ; la nécessaire reconversion d'une région qui ne peut plus vivre seulement de l'agriculture et doit se tourner vers le tourisme et l'industrie ; le fragile équilibre qu'il faut maintenir entre le développement économique et la sauvegarde des paysages, des sites historiques et des traditions.*

Montrer la situation de la ferme de Mme Morin.
• Observation de l'image, écoute et compréhension du dialogue.
Analyser la demande de Mme Morin, les réticences du banquier, l'argumentation de Mme Morin.

VOCABULAIRE ET GRAMMAIRE

L'agriculture
Présenter le vocabulaire de cette rubrique :
• à partir de la carte des productions (p. 197) que l'on complétera en fonction des connaissances des étudiants ;
• en s'appuyant sur les productions du pays des étudiants.
Introduire le vocabulaire complémentaire nécessaire.

Assez - pas assez - trop
1. *Avec un adjectif.* Expliquer les exemples en s'aidant de l'illustration.
Rechercher d'autres exemples en situation de classe (l'exercice est trop difficile - l'image n'est pas assez claire, etc.).
Il est important de faire comprendre que ces adverbes sont des appréciatifs et qu'ils sous-entendent un élément de comparaison. Distinguer *très* et *trop*.
La valise est *très* lourde - La valise est *trop* lourde (pour lui).
2. *Avec un verbe.* Recherche collective de ce que l'on fait trop / assez / pas assez.
On travaille trop. On ne parle pas assez, etc.
3. *Avec un nom.* Recherche collective à partir de mots déclencheurs.
En ville : il y a trop de voitures, pas assez de cinéma, etc.
En classe : il y a trop d'étudiants, pas assez de filles / de garçons, etc.

ACTIVITÉS

Phonétique et Mécanismes

• Opposition entre [o] et [ɔ].
Notons que cette opposition est rarement pertinente pour la compréhension. Les Français du sud ont tendance à ouvrir la plupart des [o]. Dans le nord, c'est souvent l'inverse qui se produit.
• Exercice de transformation pour l'emploi de la structure *ne ... pas assez (de)*

Transcription

Phonétique
Répétez !
Il est encore tôt. (...)
Il porte un beau costume. (...)
Madame Morin a une propriété agricole. (...)
Il y a des pommiers dans le jardin du château. (...)
Elle achète un stylo et une gomme. (...)
Elle met son chapeau blanc et sa robe bleue. (...)

Mécanismes
Écoutez !
Elle travaille ?
Non, elle ne travaille pas assez.
Vous avez du pain ?
Non, je n'ai pas assez de pain.

À vous !
Elle travaille ? (...)
Non, elle ne travaille pas assez.
Elle fait du sport ? (...)
Non, elle ne fait pas assez de sport.
Il est riche ? (...)
Non, il n'est pas assez riche.
Il est courageux ? (...)
Non, il n'est pas assez courageux. Vous avez du pain ? (...)
Non, je n'ai pas assez de pain.
Nous avons du temps ? (...)
Non, nous n'avons pas assez de temps.

Exercices

EX. 1, P. 156

Elle est trop sale...
Vous êtes trop gros...
Tu n'as pas mis assez de sel...
Dans cette profession, on ne gagne pas assez d'argent...

La nuit dernière, je n'ai pas assez dormi...
Il y a trop de monde...
Il a assez d'argent...
Nous n'allons pas assez vite.

EX. 2, P. 156

Le repas était *très* bon. Mais j'ai *trop* mangé. Je suis malade — Mme Grand a *trop* travaillé cette semaine. Elle est *très* fatiguée — Cet appartement est *très* beau. Mais j'aime le soleil. Il est *trop* sombre pour moi — Vous arrivez *trop* tard. M. Dupuis est parti. Il était *très* pressé — Ce quartier est *très* tranquille. C'est une qualité. Mais il est *trop* calme pour moi. Il n'y a pas de café, pas de restaurants, pas de cinémas.

EX. 3, P. 156

Procéder thème par thème. Pour chacun d'eux :
● préparer le débat en petits groupes. Il s'agit de porter des jugements quantitatifs (il y a trop de...) ou qualitatifs (c'est trop...) ;
● organiser un débat avec un tiers du groupe-classe (choisir les participants dans différents petits groupes). Le débat est suivi par le reste de la classe qui peut, éventuellement, intervenir ;
● changer les participants à chaque thème de façon que la totalité de la classe ait participé.

EX. 4, P. 156

Plusieurs thèmes pour des jeux de rôles à préparer et à jouer à deux.
On peut écrire les sujets des jeux sur de petits papiers qui seront tirés au sort par les étudiants.

OBJECTIFS

Vocabulaire	*Grammaire*
● la ville (p. 155) ● *un collègue - un dessin - une autorisation* ● *montrer - garder - plaire* ● *seulement*	● le futur simple ● la restriction : *seulement*
Phonétique	*Communication*
● le [ə] dans les formes futures des verbes en *er*	● exposer un projet ● décrire une ville

Civilisation
● Le développement des infrastructures touristiques

DIALOGUE ET DOCUMENTS

● Identifier les personnages et la situation d'après l'image et le texte d'introduction.
● Présenter les légendes du plan de la ville en relation avec la présentation de la rubrique de vocabulaire « La ville » (p. 155).
L'exposé d'un projet nécessite l'emploi du futur. Rechercher les verbes du dialogue qui peuvent être à ce temps.
Présenter la rubrique « Le futur » (p. 154).
● Écoute du dialogue pour une approche globale du sens.
Écoute phrase par phrase et explication des difficultés (*garder - seulement - plaire - autorisation*).
Analyser l'incidence du projet de M. Girard sur l'avenir de la propriété de Mme Morin.

▪️*VOCABULAIRE ET GRAMMAIRE*

La ville

Dépouillement du vocabulaire par petits groupes. Chaque groupe prend en charge un secteur d'activité (affaires, loisirs, etc.), cherche le sens des mots, trouve des exemples et présente le vocabulaire à l'ensemble de la classe.

Le futur

- Observer la formation de ce temps.
- Pratiquer son emploi en situation de classe.
- Faire l'exercice de mécanismes.

Seulement

Présenter le sens de ce mot à partir d'observations (Il y a seulement un livre sur la table - Il a écrit seulement trois lignes).
Lire et commenter le discours du milliardaire, p. 154.
(La forme restrictive *ne ... que* ne sera introduite qu'au niveau II.)

Plaire

De nombreux exemples seront nécessaires pour comprendre le fonctionnement de ce verbe.
Faire des exercices de transformation du type :
J'aime ce livre → Ce livre me plaît.
Il aime ce film → Ce film lui plaît.

▪️*ACTIVITÉS*

Phonétique et Mécanismes

- Exercice sur la prononciation des formes futures des verbes en *er*.
Le e de la terminaison est souvent un [ə] muet.
- Exercice de transformation : *le futur*.

Transcription	**Phonétique** *Répétez !* Je mangerai bien. (...) Nous demanderons des explications. (...) Tu n'achèteras pas de pain. (...) Vous penserez à elle. (...) Il m'appellera samedi. (...) Elle empruntera trente mille francs. (...) **Mécanismes** *Écoutez !* Tu travailles aujourd'hui ? Non, mais demain, je travaillerai. Elle sort ce soir ? Non, mais demain, elle sortira.	*À vous !* Tu travailles aujourd'hui ? (...) Non, mais demain, je travaillerai. Il se couche tôt aujourd'hui ? (...) Non, mais demain, il se couchera tôt. Elle va à la banque aujourd'hui ? (...) Non, mais demain, elle ira à la banque. Nous jouons au football aujourd'hui ? (...) Non, mais demain, nous jouerons au football. Elle sort ce soir ? (...) Non, mais demain, elle sortira. Vous vous occupez de cette affaire aujourd'hui ? (...) Non, mais demain, je m'occuperai de cette affaire. Elle téléphone à Jacques, aujourd'hui ? (...) Non, mais demain, elle lui téléphonera. Vous écrivez à Sylvie, aujourd'hui ? (...) Non, mais demain, je lui écrirai.

Exercices

EX. 5, P. 157

Il ne fumera plus. Il ne boira plus. Il ne dormira plus jusqu'à 11 h. Il ne regardera plus la télévision.

Il lira. Il ira au cinéma et au théâtre. Il se lèvera à 8 heures. Il fera du sport.

EX. 6, P. 157

Images déclencheurs pour un débat sur l'avenir.

On procédera comme pour l'ex. 3, p. 156.

La fusée Ariane : fusée de fabrication européenne destinée à diverses missions dont la mise sur orbite de satellites.

Un autobus à Marseille. Il s'agit en fait d'un trolley-bus à moteur électrique alimenté par une perche qui suit un fil électrique (en voie de disparition).

Un village de Dordogne. Remarquer les constructions traditionnelles... Mais la place du village où s'établissait le marché est devenue un parking !

Cergy. Une des villes nouvelles de la banlieue de Paris. Tout a été prévu dans cet urbanisme pour retrouver l'atmosphère conviviale des anciens quartiers et des anciennes places de villages. Des cafés, des arbres, des bancs entourent la place.

EX. 7, P. 158

Chacun des deux époux fait des projets d'avenir.

Rédiger leur discours. (Mettre les verbes au futur.)

Commenter les contradictions entre les deux discours qui témoignent de deux styles de vie différente.

   a) Nous aurons beaucoup d'enfants. Nous vivrons dans une petite ville. Nous achèterons une maison avec un grand jardin. Nous aurons une vie tranquille. Nous ferons des économies.

   b) Nous n'aurons pas d'enfants. Nous voyagerons. Nous travaillerons à l'étranger. Nous sortirons beaucoup.

EX. 8, P. 158

Réflexion et débat collectif.

Rédaction d'un projet accompagné d'un plan avec légendes.

OBJECTIFS

Vocabulaire	Grammaire
● *le pétrole - une exploitation - une recherche - un résultat* ● *présenter - exploiter - espérer*	● le pronom *en* (remplaçant un objet déterminé par un article ou un adjectif de quantité) ● adverbes de lieu : *autour (de) - au milieu (de) - au bout (de) - au fond (de) - en face (de)*
Phonétique	Communication
● l'enchaînement dans les constructions avec le pronom *en*	● exposer un projet ● exprimer un espoir

Civilisation

● Les sources d'énergie en France

DIALOGUE ET DOCUMENTS

● Observation de l'image et présentation du lieu, des personnages et de la situation.

● Écoute et compréhension du dialogue. Introduire *pétrole.* Expliquer :

— *autour de* : par la gestuelle ;

— *en* : opposer « vous *en* trouverez » à « *en* Camargue ». Montrer que le premier est un substitut ;

— *exploiter - une exploitation* : rechercher des types d'exploitation.
Recherche en commun des pays où l'on exploite du pétrole, de l'or, du charbon, etc.

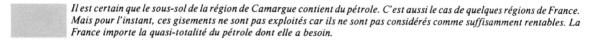

Il est certain que le sous-sol de la région de Camargue contient du pétrole. C'est aussi le cas de quelques régions de France. Mais pour l'instant, ces gisements ne sont pas exploités car ils ne sont pas considérés comme suffisamment rentables. La France importe la quasi-totalité du pétrole dont elle a besoin.

VOCABULAIRE ET GRAMMAIRE

Le pronom en
On distinguera trois constructions :
a) le pronom *en* remplace un mot déterminé par un partitif :
 Vous mangez des fruits ? J'en mange.
b) le mot remplacé est déterminé par un adjectif de quantité :
 Vous mangez beaucoup de fruits ? J'en mange beaucoup.
c) le mot remplacé est déterminé par *un* ou *une* :
 Vous voulez un fruit ? J'en veux un.

Localiser
Ces prépositions et adverbes complètent la liste qui a été donnée p. 59.

Espérer
Observer la construction et commenter le dessin de la p. 155.

ACTIVITÉS

Phonétique et Mécanismes

- L'enchaînement vocalique avec le pronom *en*.
- Exercice de transformation : le pronom *en* à la forme affirmative et négative.

Transcription

Phonétique
Répétez !
Du jus de fruit ? J'en ai. (...)
Un dictionnaire ? Il en a un. (...)
Une voiture ? Elle en a une. (...)
Des livres ? Ils en ont beaucoup. (...)
Des disques classiques ? Tu en as quelques-uns. (...)
Du bruit ? Il y en a un peu. (...)

Mécanismes
Écoutez !
Vous prenez du café ? Oui.
Oui, j'en prends.
Vous voulez du thé ? Non.
Non, je n'en veux pas.

À vous !
Vous prenez du café ? Oui (...)
Oui, j'en prends.
Vous buvez du vin ? Non (...)
Non, je n'en bois pas.
Il mange du pain ? Oui (...)
Oui, il en mange.
Elle veut de la bière ? Non (...)
Non, elle n'en veut pas.
Vous voulez du thé ? Non (...)
Non, je n'en veux pas.
Nous avons des outils ? Oui (...)
Oui, nous en avons.
Nous avons de l'argent ? Non (...)
Non, nous n'en avons pas.
Il y a de la place ? Non (...)
Non, il n'y en a pas.

Exercices

EX. 9, P. 158

Toulouse est dans le sud-ouest de la France.
Moulin est dans le centre de la France.

Valence est au sud de Lyon.
Bordeaux est à l'ouest de Montpellier.

Rennes est dans le nord-ouest de la France.   Lille est au nord de Strasbourg.
(Profiter de cet exercice pour situer les villes dans les régions qui ont été présentées.)

EX. 10, P. 158

On ne la cultive pas beaucoup (la vigne).   On en produit beaucoup (du vin).
On en produit beaucoup (du fromage).   On n'en produit pas. On en produit à Dijon (de la moutarde).

(Multiplier les exemples en exploitant la carte de la p. 197 et les connaissances des étudiants.)

EX. 11, P. 158

Ces questions peuvent servir de canevas pour un jeu de rôles sur la réception. Chaque étudiant doit poser à un membre du groupe qui prend part à la conversation l'une des questions de l'exercice. Veiller à ce que les questions soient amenées de façon naturelle ou avec humour, notamment pour la question : vous gagnez beaucoup d'argent ?

EX. 12, P. 159

J'en mange - Je ne les mange pas -   Je ne l'ai pas lu - Elle n'en boit pas beaucoup -
J'en ai vu - Elle l'aime (elle aime ça).

EX. 13, P. 159

Deux jeux de rôles qui devraient permettre le réemploi des structures avec *en* :
a) un jeune homme tape sur l'épaule d'un autre et lui demande... du feu ? une cigarette ? de l'argent ? de l'aide ? etc.
b) un chef cuisinier initie son apprenti à la préparation des crêpes ou de l'omelette. (Revoir auparavant les recettes pp. 89 et 94.)

EX. 14, P. 159

Exercice d'écoute à faire avec la cassette.
Une femme présente les quartiers de la ville que l'on voit de sa fenêtre.
Avant d'écouter l'enregistrement, présenter la situation, tracer au tableau un cadre général et indiquer la position de l'immeuble de la locutrice.

« J'habite dans le quartier sud de la ville, place du 14 Juillet... De ma fenêtre, on voit toute la ville. Tenez, regardez !
Vous voyez cette avenue, devant la fenêtre ? Elle part de la place du 14 Juillet et va vers le nord de la ville : c'est l'avenue de la République. Au bout, il y a un parc.
Mais on voit aussi une autre grande avenue. Elle traverse la ville d'est en ouest et elle coupe l'avenue de la République en son milieu. C'est l'avenue de la Liberté.

La partie nord-est de la ville, c'est la « vieille ville » avec ses petites maisons autour de la cathédrale.
Dans la partie nord-ouest, contre le parc, il y a les hôtels et l'office du tourisme. Vers l'avenue de la Liberté, on trouve les banques et les administrations.
Dans la partie sud-est, au sud de la « vieille ville », on trouve les magasins et le centre commercial.
Toujours au sud, mais de l'autre côté de l'avenue de la République, on a construit des immeubles modernes.
Les cinémas, les théâtres, les lieux de loisirs sont au nord de l'avenue de la République.

EX. 15, P. 159

Il s'agit de formuler des vœux correspondant à la situation énoncée.
Exemple :
— J'entre à l'hôpital demain.
— J'espère que ce n'est pas grave et que vous serez bientôt guéri.
Chaque phrase peut donner lieu à un petit dialogue ou un message écrit.

EX. 16, P. 159

Formuler les projets de la jeune fille à partir des indications contenues dans la bulle.
« Dans deux ans, je passerai le bac. Puis j'entrerai en faculté de droit. Dans huit ans, je serai avocate, etc. »
Chaque étudiant expose ses projets d'avenir à son voisin qui les présentera ensuite à l'ensemble de la classe.
Si la classe est assez importante, on peut établir des statistiques (nombre de futurs enseignants, de futurs médecins, etc.).

Leçon 2

OBJECTIFS

Vocabulaire	Grammaire
• le temps (p. 162) • *un site historique - un touriste* • *décider - oublier - il risque de...*	• les verbes impersonnels (*il pleut - il neige -* *il risque de...*) • structures avec *en* (l'impératif)
Phonétique	Communication
• les groupes [s] + consonne	• prévoir • exprimer la possibilité, la certitude

Civilisation
• Le climat de la France

DIALOGUE ET DOCUMENTS

Il est recommandé de commencer par l'explication du vocabulaire « Le temps » (voir la rubrique « Vocabulaire et grammaire »).
• Observation de l'image et lecture du texte d'introduction.
Expliquer *site historique* et *décider*.
Présenter les personnages (un couple de jeunes mariés) et la situation (préparatifs de voyage).
Demander l'avis des étudiants sur la phrase « Ils aiment visiter les sites historiques quand il n'y a plus de touristes ».
• Bulletin météo.
Compréhension du texte grâce à l'image. Expliquer : *risque d'orage.*
• Dialogue.
Traiter ce dialogue comme un exercice d'écoute. La plupart des difficultés ont été abordées dans les étapes précédentes. Expliquer : *il peut faire frais* et *oublier.*

VOCABULAIRE ET GRAMMAIRE

Le temps (p. 162)
Pour présenter ce vocabulaire, on pourra utiliser la carte météo de la France (p. 160), les photos de la p. 165, ainsi que des photos que l'enseignant ou les étudiants auront apportées.
On pourra aussi intégrer ce vocabulaire à une description du climat du pays d'origine des étudiants, des pays qu'ils ont visités, puis du climat de la France.

Le climat de la France. *On distingue quatre types de climats.*
*   Le climat atlantique *(sud-ouest - ouest et nord). Hivers doux. Étés frais et humides. Des pluies fines et abondantes en toutes saisons.*
*   Le climat montagnard *(Pyrénées - Massif Central - Alpes - Jura - Vosges). Les hivers sont longs et froids. Les étés sont pluvieux. La neige peut y tomber de novembre à mai.*
*   Le climat méditerranéen *(Languedoc - Provence). Les hivers sont courts. Les étés sont très chauds et apportent souvent la sécheresse. Ils sont suivis de violents orages.*
*   Le climat continental *(centre et est). Hivers froids. Étés chauds. Pluies assez violentes mais moins fréquentes que sur l'Atlantique.*

Exprimer la possibilité - la certitude
Examiner les moyens qui permettent d'exprimer l'éventualité, la possibilité d'un événement (voir rubrique p. 162).
Donner des exemples en situation authentique. (Cet après-midi, il risque de pleuvoir... de faire chaud -Nous allons peut-être finir ce travail aujourd'hui, etc.)

Le pronom en
Rappeler la structure des pronoms objets directs et indirects à l'impératif (p. 107).
Observer l'identité de structure.

ACTIVITÉS

Phonétique et Mécanismes

*   Prononciation des groupes [s] + consonne (difficultés pour certains groupes linguistiques).
*   Transformations pronominales. Le pronom *en* avec un verbe à l'impératif.

Transcription	
Phonétique *Répétez !* Les touristes visitent les sites historiques. (...) Il risque de pleuvoir sur le stade. (...) Sa spécialité, c'est le steack au poivre. (...) Le sport que je préfère ? C'est le ski. (...) *Mécanismes* *Écoutez !* Je peux prendre du gâteau ? Oui. Oui, prenez-en ! Je peux prendre des cigarettes ? Non. Non, n'en prenez pas ! *À vous !* Je peux prendre du gâteau ? Oui (...) Oui, prenez-en !	Je peux boire du thé ? Oui (...) Oui, buvez-en ! Je peux boire du vin ? Non (...) Non, n'en buvez pas ! Je peux faire du bruit ? Non (...) Non, n'en faites pas ! Je peux acheter des vêtements ? Oui (...) Oui, achetez-en ! Je peux prendre des cigarettes ? Non (...) Non, n'en prenez pas ! Je peux inviter des amis ? Oui (...) Oui, invitez-en ! Je peux mettre du poivre sur le steack ? Oui (...) Oui, mettez-en !

Exercices

EX. 1, P. 164

Oui, envoyez-en un.
Oui, prenez-en un.
Non, n'en cultivez pas.
Non, n'en réservez pas.

Non, n'en faites pas.
Non, n'en cherchez pas.
Oui, mangez-en une.

EX. 2, P. 164
Rappeler les symboles utilisés dans la carte de la p. 160. Trouver un symbole pour indiquer la neige.
Lecture du bulletin météo. Repérer les régions et les villes en s'aidant de la carte (p. 196).
Apprendre aux étudiants à schématiser une carte de France à partir d'un hexagone.

EX. 3, P. 165
Imaginer en quelle saison ces photos ont été prises.
Décrire le paysage.

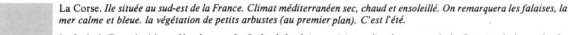

La Corse. *Ile située au sud-est de la France. Climat méditerranéen sec, chaud et ensoleillé. On remarquera les falaises, la mer calme et bleue. la végétation de petits arbustes (au premier plan). C'est l'été.*

La forêt de Fontainebleau. *Une des grandes forêts de la région parisienne, lieu de promenade des Parisiens le dimanche. La photo a été prise en automne quand les arbres ont de magnifiques couleurs.*

La campagne normande. *Les pommiers sont en fleurs. Nous sommes au printemps. Remarquer la ferme à colombage.*

Les Pyrénées. *Un paysage de montagnes enneigées et de lacs gelés. C'est l'hiver.*

EX. 4, P. 165
On pourra diriger ce travail d'expression écrite en écrivant au tableau le plan de la lettre et en demandant aux étudiants de rédiger une ou deux phrases pour chacun des éléments :
— lieu, date et nom du destinataire,
— le temps qu'il fait aujourd'hui,
— le temps qu'il a fait ces jours derniers,
— les endroits visités : commentaires et jugements,
— les endroits que l'on visitera les jours prochains,
— les activités quotidiennes,
— commentaire global sur les vacances,
— phrase amicale et signature.

EX. 5, P. 165
Élaboration collective d'un récit :
— Deux promeneurs décident de partir dans la montagne. Il fait soleil. Le temps est magnifique.
— Un orage éclate. Mais ils aperçoivent un refuge.
— Plus haut dans la montagne, il neige. Les promeneurs essaient d'allumer un feu de bois pour se réchauffer. Mais un ours...
Imaginer les dialogues correspondant à chaque situation.

B

OBJECTIFS

Vocabulaire	*Grammaire*
• demander son chemin (p. 162)	• les pronoms *en* et *y* remplaçant un lieu
• la voiture (p. 163)	• les pronoms *en* et *y* remplaçant une chose
• *camper - avoir de la chance*	• expression de la distance
Phonétique	*Communication*
• l'enchaînement dans les structures avec *en* et *y*	• demander son chemin. Décrire un itinéraire

DIALOGUE ET DOCUMENTS

● Observation de l'image et lecture du texte d'introduction.
Où sont Pascal et Corinne? Qu'ont-ils fait dans la journée? Pourquoi sont-ils arrêtés?
Expliquer : *en panne* (par l'image), *avoir de la chance* (en donnant des exemples dans le domaine du jeu (voir p. 131), *camper* (par l'image de la p. 168).

Présenter le rôle de substitution de *y* (pour y camper).
● Écoute du dialogue.
Analyser les questions de Corinne et les réponses du jeune homme.
Repérer sur la carte de la p. 152 l'endroit où se trouve la voiture des deux jeunes gens.

VOCABULAIRE ET GRAMMAIRE

Demander son chemin
● Dessiner sur le tableau un plan sur lequel figureront des rues, une route, un pont, des feux de signalisation.
Montrer sur le plan à quels mouvements correspondent chacune des phrases de la bulle de droite.
● Jouer des situations de demande et d'explication d'itinéraire.

La voiture
● Présenter les différents moyens de locomotion.
● Faire l'inventaire des divers problèmes qui peuvent arriver à un automobiliste.
Indiquer les solutions possibles.
Exemple : panne de moteur → appeler un garagiste - nettoyer le carburateur - vérifier le plein d'essence...

En et y
1. *En et y remplacent un lieu*
   ● Montrer que *en* remplace un lieu introduit par la préposition *de*. (Au niveau I, il ne sera employé qu'avec venir (de) → il en vient).
   ● Montrer que *y* remplace un complément ou une proposition de lieu.

2. *En et y remplacent une chose*
● Y   Opposer : Je pense à vous téléphoner demain → j'y pense.
                  Je pense à Marie → je pense à elle.
● En   Opposer : J'ai besoin des clés → j'en ai besoin.
                  J'ai besoin de Marie → j'ai besoin d'elle.
Récapituler tous les sens de *en* :

Il habite *en* Camargue / *en* France	→ préposition locative introduisant un pays ou une région.
Ce pantalon est *en* velours	→ préposition de matière.
Être *en* colère / *en* panne / *en* vacances	→ préposition indiquant un état.
Du thé? Je n'*en* veux pas	→ pronom remplaçant un nom déterminé par un partitif, ou un mot de quantité (voir p. 155).
J'*en* ai besoin	→ pronom remplaçant une chose (ou une idée) introduite par la préposition *de*.
J'*en* viens	→ pronom remplaçant un lieu (introduit par la préposition *de*).

Voir le tableau général des pronoms (p. 201).

ACTIVITÉS

Phonétique et Mécanismes

- L'enchaînement dans les structures avec *en* et *y*.
- Transformations pronominales pour l'emploi de *y* (locatif).

Transcription

Phonétique
Répétez !
Allons-y vite ! (...)

N'y allez pas ! (...)
Elle n'y arrive pas. (...)
Elle n'y est pas allée. (...)
Vous en venez ! (...)

Mécanismes
Écoutez !
Ils habitent à Paris ? Oui.
Oui, ils y habitent.
Il habitent à Rome ? Non.
Non, ils n'y habitent pas.

À vous !
Ils habitent à Paris ? Oui (...)
Oui, ils y habitent.
Jacques va en Allemagne ? Oui (...)
Oui, il y va.
Nicole va à Berlin ? Non (...)
Non, elle n'y va pas.
Nicole habite à Rome ? Non (...)
Non, elle n'y habite pas.
Est-ce que Paul va souvent au cinéma ? (...)
Non, il n'y va pas souvent.
Est-ce que Corinne et Pascal vont dans le sud de la France ? Oui (...)
Oui, ils y vont.

Exercices

EX. 6, P. 166

Elle y habite.
Il y a chanté.
Ils n'y vont pas.

Elle y est.
Ils en viennent.
J'y suis allé(e) - Je n'y suis pas allé(e).

EX. 7, P. 166

Oui, j'en ai besoin.
Non, il ne s'en occupe pas.
Oui, j'y pense / Non, je n'y pense jamais.
Oui, j'y crois / Non, je n'y crois pas.

Non, je n'ai pas besoin de lui.
Non, je n'y comprends rien.
Oui, j'y fais attention /
Non, je n'y fais pas attention.

EX. 8, P. 166

L'exercice peut être fait oralement ou par écrit.

EX. 9, P. 166

Exercice d'écoute à faire avec la cassette.
Repérer d'abord les noms propres de villes. Faire au besoin une carte plus précise que celle de la p. 152. Indiquer le point de départ et le point d'arrivée.
Compléter le plan au fur et à mesure de l'écoute.

« Vous arrivez de Valence par l'autoroute ? Bon, alors, écoutez-moi ! C'est facile. Vous allez sortir de l'autoroute à Nîmes. La première sortie. C'est Nîmes-Est, je crois. La première sortie, pas la seconde. Dix kilomètres après la sortie de l'autoroute, vous prenez à gauche la route de Saint-Gilles. Vous allez jusqu'à Saint-Gilles, c'est à 20 km de Nîmes. À Saint-Gilles, vous traversez le village et à la sortie du village vous passerez sous un pont. Tout de suite après le pont, vous tournez à droite sur une petite route. C'est la route des Saintes-Maries-de-la-Mer. Vous continuez sur cette route jusqu'à la mer. Là, vous rencontrez la route du bord de mer. Vous tournez à droite sur cette route et vous allez lentement, c'est tout près. À votre droite, vous allez voir un bois de pins et un étang. Vous prenez le premier chemin vers le bois de pins. Ce chemin vous conduira à ma ferme. Ça va ? Vous avez compris ? »

EX. 10, P. 166

Faire accompagner le descriptif de l'itinéraire d'un plan.

C

■ OBJECTIFS

Vocabulaire	*Grammaire*
● demander une autorisation (p. 163) ● *une analyse - un terrain* ● *s'installer - prier - effectuer - remercier* ● *normalement - actuellement*	● structure des verbes *autoriser - permettre -* *défendre* ● énoncés nominaux des panneaux d'interdiction
Phonétique	*Communication*
● opposition voyelle nasale / voyelle + [n]	● demander / donner l'autorisation ● interdire

■ DIALOGUE ET DOCUMENTS

● Écoute du dialogue.
Identifier les deux personnages et la situation qui découle de celle du dialogue B.
La première partie du dialogue ne devrait poser aucun problème de compréhension.
La seconde demandera quelques explications :

— *pourrions-nous*. Le conditionnel ne sera introduit qu'au niveau II. Toutefois, l'acquisition de la forme conditionnelle des verbes *vouloir* et *pouvoir* paraît nécessaire dès le niveau I dans la mesure où elle est très opératoire. Tout comme on a utilisé *je voudrais...* dans les demandes (I 2), on introduira *est-ce que je pourrais..., pourrions-nous...,* pour la demande d'autorisation.

— *interdit* : Montrer les panneaux d'interdiction de l'image B et de l'ex. 11.

— *normalement* : Énumérer ce qu'on fait normalement le matin. Opposer à *exceptionnellement.*

— *s'installer* : M. et Mme Martin s'installent à Broussac...

La lettre
● Sensibiliser les étudiants à la complexité du discours écrit administratif. Ce discours ne sera vraiment abordé qu'au niveau II.
● Se contenter d'une approche globale du sens et extraire l'essentiel de l'information : le directeur de Pétrolonor demande l'autorisation d'analyser la terre de la propriété de Mme Morin.
● Certains étudiants, même à un niveau débutant, peuvent être amenés à faire des lettres de demande en français. On peut alors leur fournir quelques formules administratives appropriées :
« Je vous prie de bien vouloir... - Je vous serais très reconnaissant de... »,
ainsi que quelques formules de politesse :
« Je vous en remercie par avance et vous prie d'agréer l'expression de mes sentiments les meilleurs ».

■ VOCABULAIRE ET GRAMMAIRE

Demander une autorisation - permettre - interdire
Examiner toutes les formes qui permettent de réaliser ces actes de paroles :
● dans le discours oral (bulles de la p. 163) ;
● dans les panneaux écrits (p. 163) ;
● dans une lettre (lettre du directeur de Pétrolonor, p. 161).
Ces formulations seront pratiquées dans les exercices 11, 12, 13 et 14, p. 167.

ACTIVITÉS

Phonétique et Mécanismes

● Dans le cas où une voyelle est suivie d'une consonne nasale ([n], [m]), on peut assister à une nasalisation abusive de la voyelle. Ce phénomène est relativement fréquent lorsque la consonne est double. Ainsi année ([ane]) est quelquefois prononcé [ãne] dans le sud de la France. L'exercice suivant vise à différencier voyelle nasalisée et voyelle +[n].

● Exercice de systématisation de *y* (locatif) avec un verbe à l'*impératif* (positif ou négatif).

<table>
<tr>
<td rowspan="2">Transcription</td>
<td>

Phonétique
Répétez !
Jacques vient chez moi, mais ses sœurs ne viennent pas. (...)
Il y a du bon vin et de la bonne bière. (...)
À la fin de l'année, Michel aura trois ans. (...)
Il est musicien. Elle est musicienne. (...)
Son téléphone sonne. (...)
Notre voiture est en panne. (...)

Mécanismes
Écoutez !
Vous devez aller à la réunion ! →
Allez-y !
Nous ne devons pas aller à la réunion ! →
N'y allons pas !

</td>
<td>

À vous !
Vous devez aller à la réunion ! (...)
Allez-y !
Vous devez habiter à Paris ! (...)
Habitez-y !
Nous devons aller au marché ! (...)
Allons-y !
Nous ne devons pas camper dans cette propriété ! (...)
N'y campons pas !
Tu ne dois pas aller avec ces gens ! (...)
N'y va pas !
Vous ne devez pas habiter dans ce quartier ! (...)
N'y habitez pas !

</td>
</tr>
</table>

Exercices

EX. 11, P. 167
Il est interdit de fumer - nager (se baigner) - chasser - pêcher - pique-niquer - camper - entrer.
« Je vous défends de / je vous interdis de... »

EX. 12, P. 167
Travail à faire en petits groupes.
Il s'agit de déchiffrer chaque consigne du règlement et d'imaginer un panneau (symbolique ou écrit brièvement) pour chaque ordre ou interdiction.

EX. 13, P. 163
Quatre jeux de rôles :
1. Un automobiliste demande à un agent de police l'autorisation de s'engager dans une rue en sens interdit.
2. Le malade demande au médecin s'il peut fumer.
3. Des promeneurs demandent l'autorisation de pénétrer dans un terrain militaire.
4. Un enfant demande à sa mère si elle peut lui acheter des friandises (du chocolat, des bonbons, etc.).

EX. 14, P. 167
Ne pas exiger un style administratif élaboré. Se contenter de phrases cohérentes et correctes.

LEÇON 3

OBJECTIFS

Vocabulaire	Grammaire
• la ressemblance et la différence (p. 170) • *un fossé - une découverte - un siècle - une statue* • *aider - enlever*	• *quel* : adjectif exclamatif • structure exclamative : *que* + phrase • *même* : adjectif et pronom • structure *on dirait que...*
Phonétique	Communication
• intonation des énoncés exclamatifs	• comparer. Exprimer la ressemblance ou la différence • exprimer un sentiment de surprise, d'horreur

Civilisation
• La France, pays qui recèle de nombreux vestiges archéologiques

DIALOGUE ET DOCUMENTS

Il est recommandé de commencer par la rubrique « Vocabulaire et grammaire ».
• Lecture du texte d'introduction et observation de l'image.
Faire des hypothèses sur le sens de cette image.
Au cours du commentaire introduire *fossé* et *enlever (le sable)*.
• Écoute du dialogue.
L'objectif de l'écoute consiste à découvrir ce que les jeunes gens font et ce qu'ils ont trouvé.
Écoute par fragments.
Relever tous les éléments de comparaison et toutes les exclamations.

Dans certaines régions au passé particulièrement riche (c'est le cas de la Provence et du Languedoc) il n'est pas rare de faire encore des découvertes archéologiques à l'occasion de la démolition d'un immeuble, de travaux de terrassement ou tout simplement d'un gros orage qui ravine les pentes d'une colline. Certes, on ne découvre plus de monuments, mais des morceaux de poteries, fragments de statue ou de stèle, mosaïques sont encore enfouis à quelques mètres au-dessous des bâtiments modernes ou des cultures.

Dès qu'une découverte est faite, si mineure soit-elle, il faut avertir les autorités compétentes (la mairie ou le directeur du musée). Ces autorités décident alors, éventuellement, d'entreprendre des fouilles de sauvetage (si le site n'est pas considéré comme très important) ou de « classer » le site. Dans le premier cas, tous travaux de construction, d'urbanisme ou d'exploitation sont suspendus jusqu'à la fin des fouilles de sauvetage. Dans le second cas (site classé), le propriétaire a le devoir d'entretenir et de faire visiter le site. L'État lui accorde alors une subvention.

VOCABULAIRE ET GRAMMAIRE

Ressemblance et différence (p. 170)
Présenter les moyens linguistiques qui permettent l'expression de la ressemblance et de la différence à partir des dessins de la rubrique.
Rechercher dans la classe des objets, des vêtements, des coiffures, etc., identiques.
Comme : on pourra donner quelques formules stéréotypées : fort comme un turc, bavard comme une pie, rusé comme un renard, etc.
L'expression des sentiments (p. 170).

ACTIVITÉS

Phonétique et Mécanismes

● Intonation de la phrase exclamative.
(Les intonations des phrases de l'enregistrement sont données à titre d'exemple. L'intonation de la phrase exclamative peut évidemment varier énormément en fonction des sentiments qu'elle exprime.)
● Exercice de transformation pour l'emploi du pronom *le même / la même / les mêmes.*

<table>
<tr><td rowspan="2">Transcription</td><td>

Phonétique
Répétez !
Quel orage ! (...)
Quelles belles peintures ! (...)
Qu'il est gentil avec nous ! (...)
Que c'est triste ! (...)

Mécanismes
Écoutez !
Elle a une belle robe. Moi.
Moi, j'ai la même.
Il a de beaux disques. Nous.
Nous, nous avons les mêmes.
</td><td>

À vous !
Elle a une belle robe. Moi (...)
Moi, j'ai la même.
Il a de beaux disques. Nous (...)
Nous, nous avons les mêmes.
J'ai un bijou en argent. Toi (...)
Toi, tu as le même.
J'ai acheté une montre en or. Elle (...)
Elle, elle a acheté la même.
Nous avons acheté un journal. Lui (...)
Lui, il a acheté le même.
Il a visité de beaux monuments à Paris. Vous (...)
Vous, vous avez visité les mêmes.
</td></tr>
</table>

Exercices

EX. 1, P. 172

Daniel et Arnaud ont la même bouche, les mêmes yeux... Ils n'ont pas les mêmes cheveux. Daniel est blond. Arnaud est brun. Ils ont la même cravate. Leur chemise est différente.
Odile et Hélène se ressemblent mais la couleur de leurs cheveux est différente.

EX. 2, P. 172

Activité d'imagination et de créativité.
1. *Compression de voiture* par César (1962). César est un sculpteur contemporain appartenant au courant des Nouveaux Réalistes. Les Nouveaux Réalistes veulent faire entrer tous les objets de consommation courante dans le domaine de l'Art. Mais ce n'est pas l'aspect fonctionnel de ces objets qui les intéresse. Ils veulent retrouver en eux la vérité de la matière. Ici, César a comprimé une automobile. Il modifie ainsi la vision traditionnelle que l'on peut avoir de cet objet.
2. *Air-feu* par Herbin (1962). Herbin est un représentant du courant de l'abstraction géométrique.

B

OBJECTIFS

Vocabulaire	*Grammaire*
• l'art (p. 171) • *une conquête - une reine* • *romain - fou (folle)* • *apporter - emporter - amener - emmener fonder*	• les structures comparatives des adjectifs et des adverbes
Phonétique	*Communication*
• prononciation de l'adverbe plus ([ply] ou [plys])	• décrire et comparer des objets, des personnes et des actions

Civilisation

• La France dans l'Antiquité

DIALOGUE ET DOCUMENTS

Il est recommandé de commencer par « Comparer des qualités » (voir ci-dessous rubrique « Vocabulaire et grammaire »).

• Observation de l'image et lecture de la phrase d'introduction.
Identifier la directrice du musée, Pascal et la statue.
Expliquer *apporter.*

• Présenter ensuite le document qui est un raccourci de l'histoire ancienne de la Provence.

La Provence a toujours été une région attirante et aisément pénétrable. Aussi loin que l'on remonte dans l'Antiquité, les peuples forts se sont succédés pour l'envahir et l'occuper d'une manière plus ou moins pacifique. Au VIe siècle avant J.-C., les Grecs fondent Massalia (Marseille) et établissent des comptoirs sur tout le littoral méditerranéen, puis, ce sont les Gaulois (ou Celtes) venus du nord, les Phéniciens venus de Carthage (Hannibal traversa le Languedoc et la Provence avec des éléphants) et enfin les Romains qui conquirent la région au IIe siècle avant J.-C. La Provence fut alors un prolongement de l'Italie, la Provincia Romana (d'où le nom de Provence). L'empereur Auguste l'organisa, y répandit la civilisation et en fit un des joyaux du monde romain.

• Écoute et compréhension du dialogue.

VOCABULAIRE ET GRAMMAIRE

Comparer des qualités

On traitera le premier point de la rubrique (p. 171).

a) Comparaison des adjectifs (avec le cas particulier bon → meilleur).

b) Comparaison des adverbes (avec le cas particulier bien → mieux).

Les dessins permettront de présenter le système des comparatifs.

Pour les pratiquer, comparer des étudiants (taille - poids - longueur des cheveux), des personnages des histoires (René Dupuis est-il plus intelligent que...), des œuvres d'art, etc.

Apporter - emporter - amener - emmener

L'utilisation de ces verbes est souvent source d'erreur.

• *Emmener* et *amener* s'appliquent aux personnes.

Emporter et *apporter* s'appliquent aux objets inanimés.
(Mais on pourra trouver *emmener* et *amener* appliqués aux choses.)
● Avec *emmener* et *emporter* on insiste sur le lieu où l'on est :
 « Voici des disques. Emporte-les ! »
 « Jacques s'ennuie. Emmène-le au cinéma. »
Avec *amener* et *apporter* on insiste sur le lieu où l'on transporte l'objet (ou la personne) :
 « Il y a un bon film au cinéma Rex. Amènes-y Jacques ».

L'art
Introduire ce vocabulaire à partir des œuvres d'art représentées dans la leçon.

▦ *ACTIVITÉS*

Phonétique et Mécanismes

● *Plus* se prononce [ply] sauf dans le cas d'une liaison, lorsqu'il signifie davantage, et lorsque c'est le signe de l'addition mathématique. Dans ces cas, il se prononce [plys].
● Exercice de transformation de *structures comparatives* (adjectifs et adverbes).

<table>
<tr><td rowspan="2">*Transcription*</td><td colspan="2">

Phonétique
Répétez !
Je n'en veux plus. (...)
Il est plus grand et plus intelligent. (...)

Vous en voulez un peu plus ? (...)

Mécanismes
Exercice 1
Écoutez !
Marie est aussi grande que Nicole ?
Non, elle est moins grande.

À vous !
Marie est aussi grande que Nicole ? (...)
Non, elle est moins grande.
Marie est aussi sympathique que Nicole ? (...)
Non, elle est moins sympathique.
Marie est aussi gentille que Nicole ? (...)
Non, elle est moins gentille.
Marie est aussi travailleuse que Nicole ? (...)
Non, elle est moins travailleuse.

</td><td>

Deux plus deux font quatre. (...)
J'en veux beaucoup plus. (...)

C'est le plus âgé. (...)

Exercice 2
Écoutez !
Jean court plus vite que Marc ?
Non, il court moins vite.

À vous !
Jean court plus vite que Marc ? (...)
Non, il court moins vite.
Jean parle plus fort que Marc ? (...)
Non, il parle moins fort.
Jean travaille mieux que Marc ? (...)
Non, il travaille moins bien.
Jean chante mieux que Marc ? (...)
Non, il chante moins bien.

</td></tr>
</table>

Exercices

EX. 3, P. 173

« Où vas-tu papa ?
— À Lyon. Je dois *apporter* ce dossier à mon directeur.
— Oh, tu m'*emmènes* ?
— D'accord, et cet après-midi, je t'*amène* visiter le musée.
— Vous ne déjeunez pas ici ? Alors *emportez* ces sandwiches. »

EX. 4, P. 173
a) Comparer l'âge des personnes :
  S. Girard est moins vieux qu'Adèle Verneuil,
  Adèle Verneuil est aussi vieille que Jules Verneuil.
b) Comparer les vitesses.
c) Comparer les prix.

EX. 5, P. 173
Expression orale. Comparer des villes, des personnes, des voitures, etc.

OBJECTIFS

Vocabulaire	Grammaire
• les contes (p. 171) • *un dieu - une déesse - un peuple - la lune* • *porter - adorer*	• les superlatifs

Phonétique	Communication
• l'opposition [w] - [ɥ]	• comparer des personnes et des objets • caractériser d'une manière superlative • raconter un conte, une légende

Civilisation
• Une légende de Provence (mythologie et histoire)

DIALOGUE ET DOCUMENTS

L'histoire de la reine Sara
Ce texte est le début d'une des deux légendes qui expliquent l'origine des Saintes-Marie-de-la-Mer.

La légende chrétienne.
Selon la tradition provençale, les personnes qui faisaient partie de l'entourage de Jésus furent, après sa mort, l'objet de persécutions. Certaines d'entre elles furent placées dans une barque sans rame, ni voile, ni provision, et la barque fut abandonnée au gré des vagues. Il y avait là Marie-Jacobé (sœur de Marie, mère de Jésus), Marie-Salomé (mère des apôtres Jacques et Jean), Lazare et quelques autres. Les deux Marie avaient une servante noire, Sara, qui avait été épargnée. Sara avait voulu partager le sort de ses maîtres. Elle était restée sur la plage et se désespérait. Alors, Marie-Salomé jeta son manteau sur la mer... et le manteau se transforma en radeau qui permit à Sara de rejoindre la barque... Après de longs jours d'incertitude, la barque aborda sur une plage. Le premier geste des disciples du Christ fut de construire une chapelle à l'endroit où ils avaient débarqué. Cette chapelle, modifiée au cours des temps, est l'église actuelle des Saintes-Maries-de-la-Mer. Les disciples du Christ se séparèrent bientôt pour aller évangéliser la région. La chapelle fut l'objet de fréquents pèlerinages et un village se développa tout autour.

La légende gitane.
Les gitans, nombreux dans la région, s'approprièrent cette légende mais la modifièrent substantiellement. Pour eux, Sara n'est pas la servante des Marie, mais la reine du pays où le bateau des saintes allait accoster. Les gitans (ou tsiganes) étaient, au Ier siècle avant J.-C., installés au bord du Rhône et vouaient un culte à Ishtar (Astarté) déesse de la lune. Une fois l'an, ils promenaient la statue sur leurs épaules et entraient dans la mer pour y étendre sa bénédiction. Un jour de tempête, Sara vit à quelques kilomètres des côtes, une barque sans voiles en difficulté. Elle jeta son manteau sur les flots et les occupants du bateau purent gagner le rivage : c'étaient les disciples de Jésus. Ils convertirent Sara à la religion chrétienne. Cette dernière légende n'a bien entendu aucun fondement historique. Les tsiganes ne se sont installés dans la région que vers le XVe siècle. Mais elle est révélatrice du mélange des cultures et des religions qui caractérise l'histoire de la Provence. Si aujourd'hui, les rites chrétiens provençaux sont si populaires (notamment les rites de Noël), c'est qu'ils ont su intégrer des traditions plus anciennes.
Dans l'église actuelle des Saintes-Maries-de-la-Mer, on trouve les reliques des saintes Marie-Jacobé et Marie-Salomé ainsi que la statue de Sara, vierge noire en bois que vénèrent les gitans. Deux fois par an (en mai et en octobre), les gitans viennent du monde entier pour effectuer le rite de la promenade à la mer de la statue de Sara et des reliques. Le village entier se mêle à la fête.

Lecture globale du texte. Puis, mise en commun des éléments compris.
Lecture par fragments et explication des difficultés.

VOCABULAIRE ET GRAMMAIRE

Les contes
Ce vocabulaire a été distribué dans un tableau qui peut permettre la création d'histoire.
Soit un prince courageux et un sorcier méchant dans un château mystérieux... que va-t-il se passer ?
On utilisera ce tableau pour l'ex. 10, p. 175.

Comparer des qualités (2ᵉ partie : les superlatifs)
Présenter ces constructions à l'aide de dessins faits au tableau et les exploiter par des questions :
Quelle est la plus grande ville du monde ? la plus belle ?, etc.

ACTIVITÉS

Phonétique et Mécanismes

● Opposition entre les sons [w] et [ɥ]. Il s'agit d'éviter des prononciations incorrectes du type
huit → [wyit] - lui → [lwi] - nuage → [nwaʒ].
● Production de structures superlatives : *la plus, le plus, les plus.*

Transcription

Phonétique
Répétez !
Oui, il est huit heures. (...)
Lui, c'est mon ami Louis. (...)
Tu vois ces nuages ? (...)

Je l'ai salué(e). (...)
Il a loué un appartement. (...)

Mécanismes
Exercice 1
Écoutez !
Cette maison est très belle. →
C'est la plus belle.

Exercice 2
Écoutez !
Ces livres ne sont pas très intéressants →
Ce ne sont pas les plus intéressants.

À vous !
Cette maison est très belle. (...)
C'est la plus belle.
Ce livre est très intéressant. (...)
C'est le plus intéressant.
Ces bijoux sont très anciens. (...)
Ce sont les plus anciens.
Ces bagues sont très jolies. (...)
Ce sont les plus jolies.
Ce gâteau est très bon. (...)
C'est le meilleur.

À vous !
Ces livres ne sont pas très intéressants. (...)
Ce ne sont pas les plus intéressants.
Ces peintures ne sont pas très belles. (...)
Ce ne sont pas les plus belles.
Cette voiture n'est pas très rapide. (...)
Ce n'est pas la plus rapide.
Cet appareil n'est pas très bon. (...)
Ce n'est pas le meilleur.
Cet élève n'est pas très travailleur. (...)
Ce n'est pas le plus travailleur.

Exercices

EX. 6, P. 174
Montrer qu'il s'agit des résultats de compétitions sportives. Expliquer les disciplines (saut - 100 m -haltérophilie).
Saut en hauteur : comparer la taille et la hauteur sautée.
100 m : comparer l'âge et la vitesse.
Haltérophilie : comparer le poids du sportif et le poids soulevé.
Produire des superlatifs et des comparatifs.

EX. 7, P. 174

Ce tableau compare les qualités de plusieurs téléviseurs couleurs (ABC - EIN - SONAKA).
Présenter les éléments comparés (fabrication - service après-vente - qualité de l'image, etc.).
Chaque étudiant choisit un produit et explique son choix en faisant part de ses hésitations.
« Je choisis le Sonaka parce que la qualité du son est excellente. C'est vrai, l'image est meilleure sur le EIN, mais il coûte moins cher, etc. »

EX. 8, P. 175

Exercice d'écoute à faire avec la cassette.
Un gardien de musée commente les trois sculptures. L'étudiant doit noter le maximum de renseignements afin de pouvoir, à son tour, présenter la statue.
Écrire au tableau la liste des informations à rechercher :
nom du sculpteur, informations sur le sculpteur, titre de l'œuvre (personnage ou animal représenté), date, informations sur ce personnage, qualités de l'œuvre, etc.

« Avancez Mesdames et Messieurs. Vous avez ici trois sculptures très différentes...
À gauche, c'est l'écrivain français le plus célèbre du XVIIIe siècle. C'est Voltaire. Cette sculpture est l'œuvre de Jean-Antoine Houdon. Houdon a représenté tous les grands hommes de son époque. On connaît bien ses sculptures de Rousseau et de Diderot. Comme vous voyez, c'est un travail très réaliste. Houdon a voulu communiquer la vérité psychologique et physique du personnage. Ici, Voltaire est très vieux. Il va bientôt mourir. Mais il a le regard ironique du plus grand écrivain satirique français.
La sculpture du milieu est moins ancienne. Elle est du XIXe siècle. C'est une œuvre de Rodin. Les sculptures de Rodin sont plus fortes, moins classiques que les sculptures de Houdon. Ici, Rodin a représenté sa femme. L'histoire de Rodin et de sa femme est bizarre. Imaginez l'homme le plus intelligent, le plus créatif, le moins sérieux... avec la femme la plus simple, la plus illettrée, la plus jalouse. Rodin et sa femme ne se ressemblaient pas. Eh bien, cette femme est restée près de Rodin jusqu'à sa mort.
Regardez maintenant la sculpture de droite. On dirait une œuvre très ancienne, très maladroite. Eh bien, c'est l'œuvre de Picasso, l'artiste le plus célèbre du XXe siècle. Pour sculpter cette chèvre, Picasso n'a pas utilisé du marbre, ou de la pierre, ou du bronze, comme les autres sculptures. Il a utilisé des vieux objets : un panier, un morceau d'arbre, des vieux morceaux de bois, des morceaux de fer. »

EX. 9, P. 175

Le livre Guiness des Records (Éditions N° 1) est le répertoire des records réellement homologués. On y trouve bien sûr des records sportifs, mais aussi des records insolites et quelquefois indépendants de la volonté de leur auteur. On a présenté ici quelques-uns des plus étranges de ces records.
À faire par petits groupes. Chaque groupe doit :
— comprendre le texte d'un record ;
— dessiner une illustration correspondante à la scène ;
— imaginer un court article d'accompagnement au dessin.

EX. 10, P. 175

Le texte donne le canevas d'un conte vietnamien.
Lecture et compréhension du canevas.
Imaginer une description des personnages et du décor.
Imaginer le déroulement d'une histoire avec épisodes et dialogues. Diviser cette histoire en plusieurs séquences.
Par petits groupes, les étudiants rédigent les séquences.
Ce travail peut avoir pour objectif la réalisation d'une bande dessinée collective, d'un montage théâtral (avec scènes dialoguées, scènes mimées, intervention d'un récitant), d'un jeu au théâtre d'ombres.
La légende du sel. Collection Contes d'hier et d'aujourd'hui (CLE INTERNATIONAL).

LEÇON 4

OBJECTIFS

Vocabulaire	Grammaire
• les médias (p. 176) • *un sujet - une poterie - un bijou - un studio - des fouilles (archéologiques)* • *apprendre (une nouvelle) - quitter - fouiller - se tromper - exister* • *rare* • *à l'instant - par hasard*	• le passé récent : *venir de + verbe* • le présent continu (ou présent progressif) : *être en train de + verbe*
Phonétique	Communication
• prononciation de la graphie x ([ks] - [gz])	• rapporter une information

Civilisation
• Les médias en France (presse et radio)

DIALOGUE ET DOCUMENTS

Il est recommandé de commencer par la rubrique « Vocabulaire et grammaire ».

L'enregistrement radio
À traiter comme un exercice d'écoute.
Repérer le type de document (séquence d'information à la radio), l'origine (Montpellier), le sujet.
Explication des difficultés :
— *apprendre* : élargissement du sens du verbe. Apprendre une nouvelle, un décès, une naissance. Voir la traduction en langue maternelle.
— *à l'instant* : renforce le sens de proximité. Équivalent de *maintenant.*
— *important* : donner des exemples de nouvelles, de découvertes, d'événements importants ou insignifiants.
— *par hasard* : trouver sans chercher, sans le vouloir (voir les jeux de hasard).
— *rare* : donner des exemples d'objets rares.
— *quitter* : quitter un lieu (partir de ce lieu) - quitter un vêtement (enlever ce vêtement).
Montrer que la presse s'intéresse à la découverte. Le retentissement va donc être important.

L'article de presse
L'article est daté du 30 octobre (20 jours après le spot radio).
Découvrir dans l'article les derniers développements de l'affaire. Que découvre-t-on sur le lieu où la statue a été trouvée ?
Faire appel aux connaissances des étudiants. Ont-ils été témoins de découvertes archéologiques importantes ?
Faire des hypothèses sur les réponses possibles à la question de la dernière phrase.

Montrer que le conflit entre divers intérêts est inévitable. Les intérêts de Mme Morin, ceux des services d'archéologie, les projets immobiliers de M. Girard et les espoirs de M. Lagarde en matière d'exploitation pétrolière sont inconciliables.

▉ *VOCABULAIRE ET GRAMMAIRE*

Présenter les constructions du passé récent et du présent progressif à partir des exemples de la rubrique p. 178.

Pratiquer avec des exemples dans le déroulement de la classe (Qu'est-ce qu'on vient de faire ? Qu'est-ce qu'on va faire ?), le déroulement de la journée (Il est 8 h, qu'est-ce que tu viens de faire ?), dans les histoires du livre de l'élève (ouvrir le livre au hasard et demander ce que les personnages viennent de faire, vont faire ?).

Voir aussi les ex. 1, 2, 3, 4, p. 180.

Les médias

Vocubulaire à présenter au cours de l'activité de découverte de la presse française (ex. 5, p. 181).

▉ *ACTIVITÉS*

Phonétique et Mécanismes

- La graphie *x* peut se prononcer :

  [ks] → taxi - boxe - excellent.

  [gz] → exister - examen (notamment les mots qui commencent par *ex* + voyelle).

  [z] → deuxième.

  [s] → soixante.

- Exercices questions/réponses pour la production des structures du *passé récent* et du *présent continu*.

Transcription	*Phonétique* *Répétez !* Ce plat mexicain est excellent. (...) L'exercice est facile. (...) *Mécanismes* Exercice 1 *Écoutez !* Est-ce que M. Renaud est arrivé ? Oui, il vient d'arriver. *À vous !* Est-ce que M. Renaud est arrivé ? (...) Oui, il vient d'arriver. Est-ce que Nicole est partie ? (...) Oui, elle vient de partir. Est-ce que vous avez commencé à lire ce livre ? (...) Oui, je viens de commencer. Est-ce que Pierre et Marie sont sortis ? (...) Oui, ils viennent de sortir. Est-ce que vous avez téléphoné à Jacques ? (...) Oui, je viens de lui téléphoner. Est-ce que vous avez vu ce film ? (...) Oui, je viens de le voir.	Il veut réussir à son examen. (...) Il a pris un taxi. (...) Exercice 2 *Écoutez !* Est-ce qu'ils ont commencé à travailler ? Oui, ils sont en train de travailler. *À vous !* Est-ce qu'ils ont commencé à travailler ? (...) Oui, ils sont en train de travailler. Est-ce qu'elles ont commencé à se préparer ? (...) Oui, elles sont en train de se préparer. Est-ce qu'il a commencé à manger ? (...) Oui, il est en train de manger. Est-ce que vous avez commencé à lire ce livre ? (...) Oui, je suis en train de le lire. Est-ce que vous avez commencé à écrire la lettre ? (...) Oui, je suis en train de l'écrire.	

Exercices

EX. 1, P. 180

1. Elle vient de lire les résultats de l'examen. Elle vient d'apprendre qu'elle a échoué. Elle est en train de pleurer. Elle va voir des amis / partir en vacances / recommencer à travailler...

2. Il vient d'acheter le journal. Il est en train de le lire. Il va tomber dans le trou.

3. Ils viennent de faire une partie de tennis. Ils sont en train de se serrer la main. Ils vont prendre une douche.

4. Il vient d'écrire une longue lettre. Il est en train de la finir, de la signer, il va la relire, l'envoyer...

5. Il vient de découvrir un trésor. Il est en train d'appeler ses amis. Ils vont...

EX. 2, P. 180

Alain vient de se réveiller. Il est en train de prendre son petit déjeuner. Il va partir au bureau.

Françoise vient de lire le journal. Elle est en train d'écrire une lettre. Elle va téléphoner à sa mère.

Didier et Brigitte viennent de faire des courses. Ils sont en train de déjeuner. Ils vont aller au cinéma.

Je viens de dîner. Je suis en train de regarder la télévision. Je vais (bientôt) me coucher.

EX. 3, P. 180

Brain storming collectif pour chaque nouvelle.

Que s'est-il passé ? Que va-t-il se passer ? Ces nouvelles sont-elles vraies ou fausses (rappeler que nous sommes le 1er avril) ?

Rédaction d'un commentaire écrit ou oral pour chaque titre. (À faire par petits groupes qui se partagent le travail.)

EX. 4, P. 181

Exercice d'écoute à faire avec la cassette.

Présenter d'abord le vocabulaire de la rubrique « La politique » (p. 179).

Le Président de la République *est le chef de l'État. Il est élu au suffrage universel pour une durée de sept ans. Il nomme le* premier ministre *qui forme le* gouvernement.

Le gouvernement *est constitué d'une équipe de ministres et de secrétaires d'État dirigée par le premier ministre. Il propose des lois qui doivent être approuvées par les deux chambres (Chambre des députés et Sénat).*

La Chambre des députés *(Assemblée nationale). 577 députés élus pour cinq ans au suffrage universel. Chaque député est élu par une zone géographique précise.*

Le Sénat. *31˙ sénateurs élus pour neuf ans par un collège électoral composé d'élus à différents niveaux. Les sénateurs sont renouvelés par tiers tous les trois ans.*

Les partis politiques. *Traditionnellement, les partis politiques se situent à droite ou à gauche de l'échiquier politique. La France a depuis longtemps une tradition de bipolarisation. Aux élections présidentielles de 1988, les principales formations politiques se répartissaient ainsi :*

Droite   *Front National (14 %)*
         R.P.R. (Rassemblement pour la République) (20 %)
         U.D.F. (Union pour la Démocratie Française) (16 %)
Gauche   *Parti Socialiste ((34 %)*
         Parti Communiste (7 %)
         Divers (9 %)

Première écoute pour déterminer les différentes rubriques.

Écoute par rubrique. Noter l'information. Rédiger un titre de presse pour chaque information.

« Il est midi. Voici nos informations :

Politique intérieure : les employés des transports publics, trains, métro et autobus, feront peut-être la grève mercredi. Ils demandent une augmentation de salaire. Le gouvernement discute actuellement avec les syndicats pour trouver une solution. Attention ! Il y aura peut-être des embouteillages mercredi dans les rues de Paris !

À l'étranger : Le Premier ministre continue son voyage dans les pays africains. Hier, il était en Côte-d'Ivoire. Il a déjeuné avec le Président de ce pays et a visité une exploitation agricole. Il arrivera cet après-midi au Cameroun.

Éducation : Demain, c'est le grand jour pour les candidats au baccalauréat. 250 000 élèves environ passeront cet examen.

Faits divers : Les cambriolages continuent dans la région de Bordeaux. Dans la nuit d'hier, les cambrioleurs ont visité trois appartements du centre ville. Les locataires étaient en vacances. Les voleurs n'ont pas trouvé d'argent, mais ils ont emporté des bijoux, des appareils de télévision, des magnétoscopes, et des livres anciens.

Sports : Hier soir à Madrid, l'équipe de France a rencontré l'équipe nationale de Bulgarie. Les deux équipes ont fait match nul 2 à 2. Un excellent match suivi par des milliers de spectateurs.

Spectacles : C'était hier la première du nouveau spectacle de Johnny Hallyday. Dans la grande salle du Zénith, 5 000 spectateurs ont applaudi le grand chanteur. »

EX. 5, P. 181

Objet de cet exercice :
— connaître quelques journaux français ;
— amener une discussion sur le phénomène presse.
Lecture du texte.
Observation de la photo.

On y trouvera les deux quotidiens nationaux à plus fort tirage : *Le Monde* (qui est le grand journal de référence) et le *Figaro* (qui propose une information moins dense et plus attrayante).

Il faut souligner l'importance en France des quotidiens régionaux. Chacun des dix plus grands quotidiens régionaux a un tirage au moins égal à celui du *Monde* ou du *Figaro*. *Ouest France* tire à 700 000 exemplaires, soit presque deux fois plus que *Le Monde*.

Paris-Match est un hebdomadaire grand public qui fait une large place aux photos.

Quatre grands magazines hebdomadaires se partagent le marché de l'information (politique, économie, civilisation) : *Le Point, L'Express, L'Événement du Jeudi, Le Nouvel Observateur*.

Mais les publications les plus achetées sont incontestablement les magazines de télévision *Télérama, Télé 7 jours*.

OBJECTIFS

Vocabulaire	Grammaire
• la politique (p. 179) • *un scandale* • *discuter - vivre - abandonner* • *malheureusement - patiemment*	• *faire,* verbe auxiliaire *faire construire une maison* • les adverbes - formation des adverbes en *ment*
Phonétique	**Communication**
• groupes consonantiques complexes	• se plaindre - protester • argumenter

Civilisation

• Le gouvernement, les partis politiques, les syndicats en France

DIALOGUE ET DOCUMENTS

Il est recommandé de commencer par la rubrique « Vocabulaire et grammaire ».
• Observation de l'image et lecture de la phrase d'introduction.
Identifier les personnages et le lieu (le champ de fouilles). Remarquer l'attitude courroucée de M. Girard. Imaginer la raison de sa colère.
• Écoute du dialogue.
Reconstituer l'argumentation de M. Girard et du maire.
Expliquer :
— *scandale*. Citer des exemples de scandales.
— *discuter*. Ne pas confondre avec *disputer*. Une discussion peut être calme. Le mot implique seulement un échange d'idées.

— *vivre*. Le mot *vie* a été vu en III 4. Multiplier les exemples pour approcher le champ sémantique du mot (Elle vit en France - Il a eu un très grave accident. Il va vivre seulement quelques heures - On ne peut pas vivre sans argent - Il a eu une augmentation de salaire. Maintenant, il vit très bien).
— *abandonner* : laisser - ne plus s'occuper de.
● Jouer le dialogue.

VOCABULAIRE ET GRAMMAIRE

La politique (p. 179)
Le vocabulaire de cette rubrique aura été vu lors du travail préparatoire à l'exercice 4, p. 181.
Comparer les systèmes politiques dans les pays connus des étudiants (rôle du président - élections, etc.).

Caractériser une action (p. 178)
● Rappeler les adverbes connus (bien - mal - fort, etc.).
● Observer la formation des adverbes à partir de l'adjectif.
Normalement la règle est la suivante :
Adverbe = adjectif au féminin + ment
Exemple : lentement - heureusement - nerveusement.
Attention !
— Tous les adjectifs ne peuvent pas automatiquement donner des adverbes (par exemple : content).
— Lorsque le *e* du féminin de l'adjectif n'est pas prononcé, l'adverbe se construit à partir du masculin : poliment, joliment.
— Ce type de construction n'est pas toujours valable : patient → patiemment.
● Faire des exercices de transformation :
　　Il est gentil → Il me parle gentiment.

Faire + verbe (p. 178)
Cette construction permet de donner un sens passif à un verbe actif.
　　Je fais construire une maison → C'est moi qui demande la construction et ce sont les maçons qui construisent.
(Construction délicate à manier. Elle sera vue plus en détail au niveau II.)
Pour toutes les phrases de la rubrique, chercher le véritable sujet (actif). Grammaticalement parlant, c'est le complément.
Comparer avec la traduction en langue maternelle.

ACTIVITÉS

Phonétique et Mécanismes

● Les groupements de trois consonnes difficiles à prononcer.
● Exercice de transformation pour la production de la structure *faire + verbe*.

<table>
<tr><td rowspan="2">Transcription
</td><td>

Phonétique
Répétez !
Son explication est extraordinaire. (...)
Il y a une photo de cette sculpture dans le diction-naire. (...)
Avez-vous rencontré des extra-terrestres ? (...)
Il y a beaucoup d'artistes dans cette discothèque. (...)
Il est absent parce qu'il joue au football. (...)

Mécanismes
Écoutez !
Vous réparez votre voiture ?
Non, je la fais réparer.
Il construit sa maison ?
Non, il la fait construire.

</td><td>

À vous !
Vous réparez votre voiture ? (...)
Non, je la fais réparer.
Il construit sa maison ? (...)
Non, il la fait construire.
Elle fait sa robe ? (...)
Non, elle la fait faire.
Ils peignent leur appartement ? (...)
Non, ils le font peindre.
M. Dupuis corrige la lettre ? (...)
Non, il la fait corriger.
Il cultive ses terres ? (...)
Non, il les fait cultiver.

</td></tr>
</table>

EX. 6, P. 182

... Je la fais réparer.   ... Je les fais couper.
... Il le fait nettoyer.   ... pour faire construire une maison.

EX. 7, P. 182

Il s'agit d'imiter la phrase publicitaire pour l'ordinateur TZ 77.
Quelques possibilités :
- Vous ne trouvez jamais de vêtements à votre taille ! Faites faire vos vêtements chez ... !
- Vous ne trouvez pas de logement ! Faites construire votre maison par... !
- Vous n'avez pas le temps de peindre votre appartement ! Faites-le décorer par... !
- Vous avez de l'argent ! Faites-le travailler à la banque... !
- Ne vous fatiguez plus ! Faites faire vos travaux de peinture par... !

EX. 8, P. 182

Il est sorti de la maison *rapidement*.   Sylvie a attendu Nicolas *patiemment*.
Il a ouvert la lettre *nerveusement*.   *On entre dans cette bibliothèque* facilement et
Elle prépare son examen *courageusement*.   on peut emprunter des livres *gratuitement*.
                                                   Le vieil homme lit le journal *lentement*.

EX. 9, P. 182

Décrire les images et les situations (travail collectif).
Préparer les jeux de rôles (par groupes de deux).
Jouer les scènes.
a) Une dame n'arrive pas à dormir à cause des bruits qui viennent de l'appartement mitoyen (ou de la rue).
Elle va frapper chez les voisins... ou apostrophe de sa fenêtre les responsables du vacarme...
b) Au restaurant, une cliente a trouvé une araignée (ou une mouche) dans son potage. Elle vient d'appeler
le garçon...

▨ *OBJECTIFS*

Vocabulaire	*Grammaire*
• vocabulaire de la rubrique accord ou désaccord (p. 179) • *le passé - l'avenir - le présent - des ruines* • *réfléchir - gagner (de l'argent)*	• la comparaison des quantités • comparaison des noms (*plus de - autant de - moins de*) • comparaison des actions (*plus - autant - moins*)
Phonétique	*Communication*
• les doubles consonnes prononcées	• protester - débattre • accuser - se justifier

DIALOGUE ET DOCUMENTS

Il est recommandé de commencer par l'explication de la comparaison des quantités (voir ci-dessous à la rubrique « Vocabulaire et grammaire »).
● Écoute du dialogue et observation de l'image.
Repérer les personnages, le lieu, l'attitude sérieuse et tendue des interlocuteurs.
Comme pour le dialogue précédent, étudier l'argumentation de M. Lagarde et la contre-argumentation du maire.
● Expliquer :
— *protester*. Trouver des situations où l'on est amené à protester.
— *avoir tort - avoir raison*. Énumérer des faits qui amènent un jugement moral (le P.D.G. a diminué le salaire des ouvriers - Deux hommes se sont battus, etc.).
— *réfléchir*. Dans quelles situations est-on amené à réfléchir ?
— *passé - présent - avenir*. Donner l'équivalence avenir = futur.

VOCABULAIRE ET GRAMMAIRE

Comparaison des quantités
● Compréhension du tableau figurant la consommation de thé dans différents pays.
Présenter les phrases comparatives à partir de ce tableau.
● Travailler sur des exemples : nombre de voitures dans différentes villes, nombre d'habitants, nombre d'étudiants dans différentes classes, etc.
● Différencier la comparaison quantitative des noms et des verbes.

Accord ou désaccord
Examiner les moyens linguistiques en opposition : *être pour/être contre - avoir raison/avoir tort*.
Provoquer le réemploi de ces expressions en proposant des énoncés provocateurs du type de ceux de l'ex. 11, p. 183 :
Exemples : *il faut interdire la publicité à la télévision.*
Sur les routes, il faut limiter la vitesse à 70 km/h.

ACTIVITÉS

Phonétique et Mécanismes

● Prononciation des doubles consonnes.
Dans *je me marie*, le [m] est prononcé deux fois successivement [ʒə mə mari]. On alors tendance à ne prononcer qu'une consonne [ʒə mari] en l'allongeant.
● Exercice questions/réponses sur la *comparaison des actions* (verbe + plus, verbe + moins).

Transcription	*Phonétique*	*À vous !*
	Répétez !	Est-ce que Pierre et Nicole mangent autant que moi ?
	Je me marie demain. (...)	(...)
	Il le voit. Elle l'a vu. (...)	Pierre mange plus. Nicole mange moins.
	Il n'y a pas de danger. (...)	Est-ce que Pierre et Nicole lisent autant que moi ? (...)
	Elle se soigne bien. (...)	Pierre lit plus. Nicole lit moins.
	Nous ne nettoyons pas l'appartement. (...)	Est-ce que Pierre et Nicole voyagent autant que moi ?
	Tu te trompes toujours. (...)	(...)
		Pierre voyage plus. Nicole voyage moins.
	Mécanismes	Est-ce que Pierre et Nicole parlent autant que moi ?
	Écoutez !	(...)
	Est-ce que Pierre et Nicole mangent autant que moi ?	Pierre parle plus. Nicole parle moins.
	Pierre mange plus. Nicole mange moins.	Est-ce que Pierre et Nicole dorment autant que moi ?
		(...)
		Pierre dort plus. Nicole dort moins.

Exercices

EX. 10, P. 183

Cette activité suppose que les étudiants connaissent au moins un autre pays que celui dans lequel ils vivent. Mais il n'est pas nécessaire d'avoir visité ce pays. Une connaissance livresque peut suffire.

Faire au tableau la liste des domaines à comparer.

Les villes : population - loisirs - animation - embouteillages - espaces verts.

La nourriture : habitudes alimentaires - boissons populaires.

Les vêtements : tendance à suivre la mode ou non - tenues vestimentaires plus ou moins conventionnelles, originales, couleurs, formes, etc.

Le climat : pluie - soleil.

Deux possibilités d'animation par groupes :

● chaque groupe doit examiner un domaine (par exemple la nourriture) dans les différents pays ;

● chaque groupe compare deux pays mais examine la totalité des thèmes.

EX. 11, P. 183

Chaque étudiant se détermine pour ou contre chaque sujet et prépare son argumentation.

Le débat est ensuite fait par un petit nombre d'étudiants (3 pour - 3 contre) devant le reste de la classe.

On renouvelle les débatteurs pour chaque sujet de discussion.

EX. 12, P. 183

Baladeur est le mot français recommandé pour *walkman* (mais il est peu utilisé).

Expliquer la situation. L'appareil a été acheté par correspondance (voir l'offre et le bon de commande). À sa réception, l'utilisateur s'est aperçu qu'il ne fonctionnait pas. Il écrit pour protester.

Faire en commun le plan de la lettre :

● rappel de la situation : « J'ai commandé le ... Je viens de le recevoir ... ».

● exposé du problème : « Il manque un fil ». « On ne peut pas faire entrer la cassette », etc.

● demande de remboursement, de réparation, etc.

Rédaction individuelle de la lettre.

Leçon 5

OBJECTIFS

Vocabulaire	Grammaire
• le paysage - les animaux (p. 186) • *une tradition* • *se moquer (de) - planter - regretter* • *sauvage*	• les propositions relatives (introduites par *qui* et *que*) dans les constructions présentatives *C'est... qui...* *C'est... que...* • l'expression de la condition : *si + présent*
Phonétique	Communication
• intonation des phrases présentatives	• présenter, caractériser quelqu'un ou quelque chose • exprimer une hypothèse • exprimer un regret

Civilisation
• Conservatisme et goût des traditions face au progrès

DIALOGUE ET DOCUMENTS

Il est recommandé de commencer par la rubrique « Vocabulaire et grammaire ».
• Écoute puis lecture du dialogue.
Rechercher les conséquences des projets d'urbanisme et de la découverte archéologique sur la propriété de Mme Morin.
Rechercher les raisons de l'attachement de Mme Morin à sa terre (le désir de garder une exploitation familiale - le regret de voir disparaître des traditions).
Discuter les sentiments de Mme Morin. A-t-elle raison d'être triste ?
Imaginer ce qu'il lui est possible de faire :
— pour garder sa propriété ;
— si elle la vend.

VOCABULAIRE ET GRAMMAIRE

L'expression de la condition (p. 186)
• Compréhension des pensées des personnages (contenu des bulles).
Expliquer le sens de *si* (opposer à l'adverbe affirmatif *si*)
Si + présent indique une hypothèse qui appartient au domaine du plausible.
Si + imparfait → conditionnel. Place l'hypothèse dans le domaine de l'irréel (sera vu au niveau II).
• Recherche collective de conditions à partir d'une phrase déclencheur.
     Vous irez à Tahiti ? ... Si j'ai assez d'argent ... Si j'ai des vacances ...

- Recherche de conséquences à partir d'hypothèses servant de déclencheurs.
    Si vous gagnez à la loterie ...
    Si vous trouvez une statue antique ...
- Voir aussi ex. 3, p. 188 et 4 p. 189.

Présenter avec « c'est ... qui », « c'est ... que »
- Proposer quelques exemples tirés de la vie de la classe.
    « C'est John qui a une chemise bleue.
    C'est la photo qui est au-dessus du tableau.
    C'est John que j'ai appelé.
    C'est la photo que je préfère ».
- Observer que le choix du relatif ne dépend pas de la chose que l'on caractérise mais de la fonction grammaticale de cette chose.
- Présenter le tableau de la p. 186 et faire les comparaisons nécessaires avec le fonctionnement de la langue maternelle.

Le paysage
Présenter ce vocabulaire tout en décrivant les paysages de la p. 165.

Les animaux

ACTIVITÉS

Phonétique et Mécanismes

- Rythme et intonation des phrases présentatives *c'est ... qui, c'est ... que*.
- Exercices de transformation pour la production des structures *c'est ... qui* et *c'est ... que*.

<table>
<tr><td rowspan="2">Transcription</td><td colspan="2">

Phonétique
Répétez!
C'est Pierre que j'invite. (...)
C'est moi qui paie. (...)
C'est cette maison que je veux. (...)

</td></tr>
<tr><td>

Mécanismes
Exercice 1
Écoutez!
Mme Morin est propriétaire de cette ferme?
Oui, c'est Madame Morin qui est propriétaire de cette ferme.

À vous!
Mme Morin est propriétaire de cette ferme? (...)
Oui, c'est Madame Morin qui est propriétaire de cette ferme.
Jacques habite ici? (...)
Oui, c'est Jacques qui habite ici.
Cette terre produit beaucoup? (...)
Oui, c'est cette terre qui produit beaucoup.
Ce film est le plus intéressant? (...)
Oui, c'est ce film qui est le plus intéressant.
Marie travaille dans ce bureau? (...)
Oui, c'est Marie qui travaille dans ce bureau.

</td><td>

Ce sont les terres que Madame Morin a achetées. (...)
Ce sont les livres que j'ai lus. (...)

Exercice 2
Écoutez!
Vous cherchez un appartement ou une villa?
C'est une villa que je cherche.

À vous!
Vous cherchez un appartement ou une villa? (...)
C'est une villa que je cherche.
Vous préférez Valérie ou Sylvie? (...)
C'est Sylvie que je préfère.
Vous voulez du sel ou du sucre? (...)
C'est du sucre que je veux.
Vous avez rencontré Pierre ou Jacques? (...)
C'est Jacques que j'ai rencontré.
Vous cultivez du blé ou du maïs? (...)
C'est du maïs que je cultive.

</td></tr>
</table>

Exercices

EX. 1, P. 188

Un P.D.G. ... c'est quelqu'un qui dirige une grande entreprise.

Un chômeur ... c'est quelqu'un qui ne trouve pas de travail.

Un coiffeur ... c'est quelqu'un qui coupe les cheveux.

Une infirmière ... c'est quelqu'un qui s'occupe des malades, qui fait des piqûres, etc.

Un office de tourisme ... c'est un endroit où l'on donne des informations touristiques.

EX. 2, P. 188

Imaginer par petits groupes des dialogues entre les deux personnages.
Le visiteur est un curieux qui cherche à identifier les objets. Les étudiants qui font preuve d'imagination pourront développer les réponses.
« C'est un chapeau que j'ai acheté au Mexique. Je me rappelle ... avec ce chapeau sur la tête j'ai traversé le désert, j'ai visité les temples ... »

EX. 3, P. 188

Les deux hommes font des projets à partir de certaines hypothèses. Il s'agit de formuler ces projets.
S'il y a un bon programme ce soir à la télé, je dînerai tôt, je me mettrai dans un bon fauteuil, je décrocherai le téléphone et je regarderai la télé ...

EX. 4, P. 189

C'est l'exercice inverse du précédent. Il faut formuler les hypothèses. (Il est possible d'en imaginer plusieurs par énoncé.)

EX. 5, P. 189

Images déclencheurs pour une discussion sur les avantages comparés du passé et du présent.
Identification et description collective des images. Elles représentent toutes des scènes de la fin du XIXe siècle.
Comparer avec le même type de scène aujourd'hui. Décrire la scène moderne.
Discuter des avantages et des inconvénients, des qualités et des défauts, des anciennes habitudes.
a) Un dîner intime dans un restaurant (discussion sur les relations amoureuses).
b) Les transports au siècle dernier (étaient-ils plus humains, plus amusants ?).
c) L'école du passé (était-elle plus sérieuse, plus efficace ?).
d) Les bals (est-ce qu'on s'y amusait davantage ?).

OBJECTIFS

Vocabulaire	*Grammaire*
• l'économie (p. 187) - le changement (p. 187) - le malheur et le bonheur (p. 187) • *un conflit - le développement - une décision - un équipement - une subvention - la nature* • *unique* • *aménager - imaginer - promettre - organiser - attirer*	• les propositions relatives introduites par *qui* et *que* • la nominalisation
Phonétique	*Communication*
• rythme de la phrase avec proposition relative incise	• exposer des décisions - promettre

Civilisation
• Le rôle des pouvoirs publics dans la protection des sites et des paysages

■ DIALOGUE ET DOCUMENTS

Le discours du maire
Rappeler les éléments du conflit et énumérer les personnes qui convoitent la terre de Mme Martin.
Lecture de la phrase d'introduction et observation de l'image.
Imaginer les décisions du maire.
Écoute de l'enregistrement et compréhension des difficultés.

● Le paragraphe d'introduction : faire la liste des perspectives d'avenir de la région.
Quelle est celle que le maire considère comme prioritaire ?
Expliquer :
— *conflit* : citer des conflits politiques, militaires, économiques, familiaux.
— *organiser* : organiser une réunion, une fête, un débat.
— *développement* : voir la rubrique grammaire « Faire des noms avec des verbes », p. 186.
— *unique* : citer des monuments, des artistes, des paysages uniques au monde.

● Les décisions du maire.
Énumérer les décisions du maire. Voir en quoi elles sont compatibles avec les différents projets initiaux.
Discussion : les décisions du maire sont-elles justes ? Qu'auriez-vous fait à sa place ?
Expliquer :
— *aménager* : préparer et organiser.
— *attirer* : le magasin de jouets attire les enfants. Les cabarets attirent les jeunes.
— *équipement* : en quoi consiste un équipement sportif (piscine, terrain de tennis, salle de sports, etc.),
l'équipement d'un soldat, d'un étudiant, etc. ?
— *subvention* : aide financière donnée par le gouvernement.
— *sourire* : voir la rubrique « Exprimer le malheur/le bonheur », p. 187.

■ VOCABULAIRE ET GRAMMAIRE

Faire des noms avec des verbes (p. 186)
On donne ici quelques exemples de nominalisation.

Caractériser par une proposition relative
Présentation des propositions subordonnées relatives dans des constructions non présentatives. La proposition relative a toujours une fonction de caractérisation.
● Rappeler que le choix du relatif dépend de sa fonction (sujet - complément d'objet direct - complément de lieu).
● Pratiquer des exercices de construction de phrases.
   « Annie a acheté une maison. Elle est très belle. → Annie a acheté une maison qui est très belle / La
   maison qu'Annie a achetée est très belle. »
● Utiliser la subordonnée relative pour caractériser.
   « Regardez cette femme → Regardez la femme qui porte une robe bleue. »
● Faire les exercices de mécanismes et les exercices 6 et 7 p. 190.

Promettre
On ne présentera pas la construction *promettre que* ...
Imaginer des discours contenant des promesses :
— le père parle à son jeune fils paresseux : « Si tu travailles, je te promets ... » ;
— le jeune homme à sa fiancée ... ;
— le fumeur à ses amis non fumeurs ...

Exprimer le bonheur et le malheur
Imaginer des circonstances, des situations pour chacune des phrases de la rubrique.

░ *ACTIVITÉS*

Phonétique et Mécanismes

- Rythme et intonation de la phrase avec proposition relative incise.
- Construction de *propositions relatives* avec le pronom *qui.*

Transcription

Phonétique
Répétez !
La région que je préfère, c'est la Bourgogne. (...)
Le riz que vous mangez est produit en Camargue. (...)
La ferme qu'il a achetée est en Normandie. (...)

La fille qui porte une robe bleue est ma sœur. (...)
L'homme qui parle est le maire de Saint-Sauveur.
(...)

Mécanismes
Exercice 1
Écoutez !
Un oiseau chante. Écoutez-le !
Écoutez l'oiseau qui chante !

Exercice 2
Écoutez !
J'ai acheté un livre. Lisez-le !
Lisez le livre que j'ai acheté.

À vous !
Un oiseau chante. Écoutez-le ! (...)
Écoutez l'oiseau qui chante !
Une jeune fille danse. Regardez-la ! (...)
Regardez la jeune fille qui danse.
Des enfants jouent. Appelez-les ! (...)
Appelez les enfants qui jouent.
Il y a un livre sur l'étagère. Emportez-le ! (...)
Emportez le livre qui est sur l'étagère.
Il y a une belle maison dans cette rue. Achetez-la ! (...)
Achetez la belle maison qui est dans cette rue.

À vous !
J'ai acheté un livre. Lisez-le ! (...)
Lisez le livre que j'ai acheté.
J'habite une belle région. Visitez-la ! (...)
Visitez la belle région que j'habite.
Vous avez commencé un travail. Finissez-le ! (...)
Finissez le travail que vous avez commencé.
Vous avez reçu un paquet. Ouvrez-le ! (...)
Ouvrez le paquet que vous avez reçu.
Il a composé une chanson. Écoutez-la ! (...)
Écoutez la chanson qu'il a composée.

Exercices

EX. 6, P. 190

La jeune fille qui passe ... la fille des gens qui habitent ... la rue qui va à la gare ... la maison qui est à côté de la poste ... C'est une maison que j'aime beaucoup ... le jardin qui est devant ... des gens que je ne vois jamais ... C'est lui qu'on entend à la radio ... C'est elle qui a écrit ...

EX. 7, P. 190

Annie a une nouvelle robe que je n'aime pas.
Pascal a des amis étrangers qui sont très sympathiques.
Rémi a une amie anglaise que je connais.

La Camargue est une belle région que les touristes aiment beaucoup.
Nicolas a une voiture de sport qui va très vite.

EX. 8, P. 190

S'assurer de la compréhension du tableau des productions.
Repérer les secteurs faibles où les importations sont supérieures aux exportations.
Est-il possible d'y remédier ?
Imaginer le discours d'un homme politique ou d'un économiste.

EX. 9, P. 191

Exercice d'écoute à faire avec la cassette.
Il s'agit d'un discours prononcé par le maire de Saint-Sauveur.
- Faire la liste des secteurs abordés.
- Pour chaque secteur noter les problèmes actuels et les solutions proposées.

« Notre région ne peut pas vivre seulement de la culture de la vigne... Nous développerons d'autres cultures : la culture des arbres fruitiers, la culture des légumes, mais bien sûr nous n'abandonnerons pas la vigne. Ici, c'est une tradition. Nous encouragerons la production des vins de qualité et nous exporterons nos produits dans le monde entier.

Mais il faut faire mieux. Il n'y a pas assez d'industries dans notre région. Il y a seulement quelques petites entreprises qui vivent mal. Eh bien, nous aiderons ces petites entreprises et nous ferons venir d'autres entreprises... et nos chômeurs trouveront du travail.

Ces nouveaux ouvriers, il faudra les loger. Je leur promets qu'ils auront des logements confortables et agréables parce que nous développerons la construction de logements individuels. Vous le savez, le rêve de tous les Français, c'est d'avoir une petite villa et un petit jardin. Eh bien, nous en construirons !

Les ouvriers disent : « Nos salaires sont trop bas » et les patrons nous disent : « Nous ne pouvons pas augmenter les salaires parce que nos impôts sont trop élevés ». Eh bien, je promets aux patrons qu'ils paieront moins d'impôts et je promets aux ouvriers que nous augmenterons leurs salaires.

Je sais aussi que les professeurs ne sont pas contents. Il y a trop d'élèves dans les classes et ils ne sont pas assez payés. Eh bien, nous travaillerons pour améliorer cette situation.

À toutes et à tous, je promets pour les années futures une vie meilleure, de meilleures conditions de travail et plus de loisirs. »

EX. 10, P. 191

Lecture et compréhension du document (travail collectif).

Travail en groupes. Recherche d'arguments pour ou contre la réglementation des sites, la création de parcs et de réserves, la protection du paysage.

Mise en commun des conclusions de chaque groupe.

▨ OBJECTIFS

Vocabulaire	*Grammaire*
• *la liberté - un taureau* *un millier*	• propositions subordonnées relatives
Phonétique	*Communication*
• le son [j] après le son [l]	• présenter une ville, une région

Civilisation
• La Camargue - La ville de Montpellier

▨ DIALOGUE ET DOCUMENTS

Commenter les images.

• *Élevage de chevaux de Camargue.* Ces chevaux vivent en semi-liberté au milieu des marécages. Il existe également des élevages de taureaux de combat qui servent aux « courses libres » (spectacles au cours desquels des jeunes gens doivent décrocher un ruban fixé sur les cornes du taureau).

• *Repiquage du riz.*

• *Vue aérienne des Saintes-Maries-de-la-Mer.* On aperçoit l'église au milieu du village et au premier plan, les « arènes » où ont lieu les fameuses courses libres. Dans un rayon de 100 kilomètres autour d'Arles, tous les villages possèdent des arènes.

Commentaire du texte.

■ *ACTIVITÉS*

Phonétique et Mécanismes

- Prononciation du groupe [lj] + voyelle.
Opposer notamment *billet* [bije] à *millier* [milje].
- Construction de *propositions relatives* introduites par *où*.

<table>
<tr><td rowspan="2">Transcription
</td><td>

Phonétique
Répétez !
J'ai un billet. (...)
Il y a des milliers de touristes. (...)
Il est riche. Il a des millions. (...)
En été, nous allions à la pêche. (...)
Il est tombé dans l'escalier. (...)

Mécanismes
Écoutez !
Je passe mes vacances dans cette région. →
C'est la région où je passe mes vacances.

</td><td>

À vous !
Je passe mes vacances dans cette région. (...)
C'est la région où je passe mes vacances.
Il a campé dans cette forêt. (...)
C'est la forêt où il a campé.
Elle née dans cette maison. (...)
C'est la maison où elle née.
Je voudrais habiter dans cette ville. (...)
C'est la ville où je voudrais habiter.
Il a mis un tableau dans cette pièce. (...)
C'est la pièce où il a mis un tableau.
Il y a trois cinémas dans cette rue. (...)
C'est la rue où il y a trois cinémas.

</td></tr>
</table>

Exercices

EX. 11, P. 191
Compréhension du document (travail collectif).
Travail par groupe : réaliser un document publicitaire pour Montpellier en s'inspirant du document sur la Camargue de la p. 185.
Il ne s'agit pas de recopier le texte, mais plutôt d'y rechercher les éléments susceptibles d'attirer les futurs visiteurs, de mettre en valeur l'originalité de la ville, de faire une mise en page publicitaire avec titres, photos et commentaires.

BILAN

CORRIGÉ DES EXERCICES

Vous savez...
1. *... parler au futur*
• Demain, elle ira à la banque. Elle achètera de la viande. Elle fera une réservation pour son voyage à Paris. Elle écrira au maire de Saint-Sauveur. Elle téléphonera à Monsieur Lambert.
« Demain, j'irai... J'achèterai... Je ferai... J'écrirai... Je téléphonerai. »
• Elle vient de téléphoner à son mari. Elle est en train de se préparer. Elle va retrouver son ami au restaurant.
Il vient de rentrer chez lui. Il est en train de se déshabiller. Il va prendre une douche.
Ils viennent d'arriver au cinéma. Ils sont en train d'acheter les billets. Ils vont voir un western.
Je viens de tomber en panne. Je suis en train d'essayer de réparer. Je vais appeler un garagiste.
Le ministre vient de se lever. Il est en train de parler du chômage. Il va parler des impôts.

2. *... utiliser les pronoms*

• Elle en cultive.
Il en a un.
Il n'y en a pas beaucoup.
Elle les aime / Elle ne les aime pas beaucoup.
Elle en a trouvé.
• ... J'en viens.
... Il y va passer ses vacances.
... Elle y habite.
... Il n'y pleut pas beaucoup.
... Nous y avons vu une pièce de Victor Hugo.
• Allons-y - N'y allons pas.
Prenez-en un - N'en prenez pas.
Déjeunons-y - N'y déjeunons pas.
Empruntez-en - N'en empruntez pas.
Achetez-en - N'en achetez pas.

3. *... décrire, comparer*
• (Marie à gauche - Annie à droite)
Elles ont le même visage, les mêmes yeux, la même robe, mais Annie a les cheveux plus longs. Marie porte un ruban dans les cheveux.
• Jacques est plus grand qu'André. Il pèse plus qu'André.

Jacques et Michel sont aussi grands (ont la même taille). Jacques pèse moins que Michel.
André et Didier ont la même taille et le même poids. (Ils sont aussi grands. Ils pèsent autant.)
Didier est moins grand que Paul. Il pèse moins.
Jacques est moins grand que Paul. Il pèse moins.

• ... Annie travaille moins que Sophie.
... Nicole court plus vite que Michèle.
... Corinne parle moins que Valérie.
... Odile sourit plus que Jeanne.
... Nicolas chante mieux que Roland.
• ... J'ai trop fumé, hier soir.
... Cet appartement n'est pas assez clair pour elle.
... Il a trop mangé.
... Nous avons assez d'argent.
... Mme Morin n'a pas assez de terres ; elle ne produit pas assez pour gagner sa vie.
... Il y avait trop de bruit dans la rue.
... Il n'est pas assez rapide.
... Elle a trop mangé.
... Il n'a pas assez dormi.

4. *... caractériser par une proposition relative*
— La Camargue est une région *où* j'aime bien aller.
— Moi aussi. C'est une région *que* j'aime bien.
— Vous connaissez la petite route *qui* va d'Arles aux Saintes-Maries-de-la-Mer ?
— Bien sûr. C'est la route *que* je prends toujours pour aller chez des amis *qui* habitent en Camargue. Ils ont une ferme *où* je vais passer mes vacances.
— Alors, vous connaissez bien les Saintes-Maries-de-la-Mer ?
— Oui, c'est le village *que* je préfère. C'est un endroit *qui* a gardé ses traditions et son folklore.

5. *... caractériser par un adverbe*
• ... Il travaille lentement.
... Heureusement, nous avons eu de la place.
... Il est très malade.
... Il travaille toujours sérieusement.
... Nous vous attendrons patiemment dans le salon.
• — Vous connaissez un *bon* restaurant ?

— Allez au restaurant du Port. Vous verrez, on y mange *bien*. C'est un *bon* restaurant...
— Oui, mais le restaurant du Port est *meilleur*. Et cette année on y mange *mieux* que l'année dernière. Maintenant, c'est le fils qui fait la cuisine. Il est *meilleur* cuisinier que son père.

6. ... parler du temps, du climat
Le ciel sera nuageux sur le Nord, la Bretagne, les Alpes et les Pyrénées. Il pleuvra en Bretagne et il y aura des orages dans les Pyrénées. Il fera soleil sur le Languedoc et la Provence. Il fera de 10° à 12° dans la moitié nord du pays. Le Sud sera plus chaud. À Marseille, la température sera de 18 degrés.

7. ... exprimer une condition et une conséquence
Les réponses sont laissées à l'imagination de l'étudiant.
« Les ouvriers feront grève si les salaires n'augmentent pas. »

8. ... demander une autorisation pour dire
Plusieurs formes possibles de demande et de réponse.

Est-ce que je pourrais / vous me donnez l'autorisation de / vous me permettez de, etc.

9. ... expliquer un itinéraire
Allez tout droit. Passez sur le pont (traversez la rivière) et continuez jusqu'au boulevard de la République. Tournez à droite sur ce boulevard. Prenez la deuxième rue à gauche. Ensuite prenez la première rue à droite. La gare est dans cette rue, à gauche.

10. ... parler de l'économie, de la politique
chômeur - augmenter - organise - gouvernement - grève.

11. ... parler des médias
émission - nouvelle - annonce - quotidiens - hebdomadaires.

LES CARTES

● Carte administrative de la France.
La France est divisée en 95 départements (+ les départements d'outre-mer) ayant chacun un chef-lieu, centre administratif du département. Les départements portent un numéro (d'après leur ordre alphabétique de 1 à 95). Les cinq derniers numéros (qui ne suivent pas l'ordre alphabétique) correspondent à des départements de l'agglomération parisienne qui ont été créés récemment. Ces numéros se retrouvent à la fin des chiffres d'immatriculation des véhicules et au début des codes postaux. Exemple : 60 = Département de l'Oise. Chef-lieu : Beauvais.
Code postal de Beauvais : 60000.
Véhicule immatriculé dans l'Oise : 1440 SG 60.

Ces départements ont été regroupés en régions dont le découpage ressemble un peu aux anciennes provinces. Dans le Sud de la France, on trouvera l'Aquitaine, le Midi-Pyrénées, le Languedoc, la Provence-Côte d'Azur. Une loi récente (1982) a donné davantage de pouvoirs et d'autonomie aux régions.

● Carte des productions.
Cette carte, très incomplète, n'a pas d'autre but que de donner quelques points de repère. Elle peut néanmoins constituer un bon point de départ pour l'expression orale. L'enseignant et les étudiants la compléteront en fonction de leurs connaissances.

TABLE DES MATIÈRES